suhrkamp ta

Engelbert und seine Cousine Irma sind dankbar, daß Onkel Henry gestorben ist, aber auch dafür, daß er gelebt hat. War nicht »Für dich ist gesorgt« der Satz gewesen, der die beiden bei der Stange gehalten hatte? Sie glaubten sich gerettet – doch dann war nicht einmal mehr das Geld für die Sterbewäsche da.

Engelberts Geschichte, ein vertuschtes Unglück: Als Sternsinger, Erntehelfer und Model für Untergrößen schlägt er sich so recht und schlecht durchs Leben, erst als ihn Henry an dessen siebzigstem Geburtstag der versammelten Runde als Universalerben vorstellt, schöpft er Hoffnung.

Voll hinreißender Komik und bitterer Einsicht berichtet Arnold Stadler aus dem Leben eines Taugenichts, Erbschleichers und Hasardeurs, von der sogenannten feinen Gesellschaft und ihrer unfeinen Gegenwelt.

»In Arnold Stadler ist unserer Zeit ein Kritiker von Rang und ein Satiriker von überragender Ausdruckskraft erwachsen. Vom Tod her denkend, zeigt er die Brüchigkeit des Lebens und verspottet – sich selber mit einbeziehend – unsere Bemühungen, in der Welt etwas darzustellen.«

Helmuth Kiesel, Frankfurter Allgemeine Zeitung

Arnold Stadler ist 1954 in Meßkirch, Baden, geboren. Er studierte Theologie in München und Rom, anschließend Germanistik in Freiburg und Köln. 1989 erschien *Ich war einmal*, 1992 *Feuerland* und 1994 *Mein Hund, meine Sau, mein Leben* (suhrkamp taschenbuch 2575).

Arnold Stadler

Der Tod und ich, wir zwei

Roman

Suhrkamp

Umschlagfoto: Stephan Erfurt

suhrkamp taschenbuch 2864
Erste Auflage 1998

Lizenzausgabe mit freundlicher Genehmigung des
Residenz Verlags, Salzburg und Wien
Suhrkamp Taschenbuch Verlag

Druck: Nomos Verlagsgesellschaft, Baden-Baden
Printed in Germany
Umschlag nach Entwürfen von
Willy Fleckhaus und Rolf Staudt

4 5 6 – 03 02 01 00 99

Wie wir uns durchs Leben mogelten

Dein Kleid wird rauschen,
und mein Herz wird stillstehn

Nach dem *Idioten*

Nicht mehr daran zu denken,
lag nicht in meiner Macht

Therese von Lisieux

Siebzigster Geburtstag

Als ich ihn näher kennenlernte, war er schon auf dem absteigenden Ast gewesen. Ein Leben lang hat er immer kurz vor der Entmündigung gestanden und wurde zuletzt auch entmündigt. Aber zu seiner Taufe war Prinz Heinrich ins Haus gekommen. Zusammen mit Zeppelin war er der Pate von *Henry*, wie er von der englischen Gouvernante bald gerufen wurde, ein Name, der blieb und mit dem hanseatischen Tick oder der Überzeugung, schon so gut wie britisch zu sein, zusammenfiel. Im Paß stand Heinrich Zeppelin Alfred, nach den Paten Prinz Heinrich, Graf Zeppelin und Alfred Krupp, der aber zur Taufe nicht kommen konnte.

Schon die erste noch vorhandene Vermögensaufstellung von Silvester 1913 (ein handschriftlicher Zettel des Vaters, vielleicht in einer Champagnerlaune, vielleicht aus Festtagsübermut, jedenfalls mit begründeter Zuversicht fürs neue Jahr – 1914 – notiert) nennt eine schwarze, achtstellige Zahl in Goldmark. Die Familie war also fast wie Krupp. Die Eltern fuhren auch mit Krupp und den anderen die Kolonialrouten entlang, besuchten die wenigen Stützpunkte in der weiten Welt, mit denen sich das Reich kaum abfinden konnte, vor allem im Vergleich mit den kleinen Nachbarn, die Großreiche aufgebaut hatten. Kamerun und Deutsch-Südwestafrika etwa gehörten zum Pflichtprogramm, doch auch das Mittelmeer stand auf der Liste. In Kleinasien war der siebenjährige Henry mit seinen Eltern und den Lehrstuhlinhabern von einst als Reiseführern unterwegs. Man ließ Ephesus wieder aufbauen… Mutter Helene reiste mit den Hugenbergs und den Haniels nach Indien, auf einem Schiff, das dem Vater gehörte. Die Pyramiden von Giseh wurden mit Admiral von Tirpitz auf dem Nachbarkamel besichtigt, kurz: was für ein glanzvoller Beginn! So fing das Leben eines Wunschkindes an, eines Menschen, der ersehnt worden war. Kaum geboren, wurde er auch schon fotografiert, gezeichnet und gemalt. Noch keine Schönheit, gewiß, das konnte man sehen.

In den letzten Tagen der Monarchie, im Kriegsjahr 1917, kam dann noch das *von* dazu, das er dem Patenonkel Prinz Heinrich verdankt, der der Bruder des Kaisers war. Henry hieß nun offiziell von Nullmeyer, Heinrich Zeppelin Alfred. Er brüstete sich ein Leben lang damit – obwohl Henry mir gegenüber Jahrzehnte später behauptete, daß man in Hamburg keine Orden und Titel annehme, das sei im übrigen hanseatischer Brauch. Mit vierzehn sprang er zum ersten Mal vom Mezzanin der elterlichen Villa in den angrenzenden Garten (ein erster Selbstmordversuch). Hätte ruhig aufstehen und ins Haus zurückgehen können. Doch vom Garten her erhob sich ein Geschrei, weinerlich und trotzig und unbedingt, ein Aufschrei; und Tante Helene schlug die Hände über dem Kopf zusammen. Es war am Vormittag des Tages, an dem Zeppelin zum Tee erwartet worden war. Tante stürzte in den Garten und beugte sich weinend über den *geliebten Liebling* (so die Anrede in den Briefen der Mutter an den Sohn). »Was tust du, mein Boy!« schrie sie und wies die Gouvernante an, die Schachtel mit den Trüffelpralinen herbeizubringen, und Tante Helene schob fürs erste zwei oder drei davon eigenhändig in Henrys Schmollmund. Und dann ordnete sie an, daß der Boy von der Gouvernante noch etwas spazierengefahren werde. Abends tanzte Helene schon wieder Walzer mit Zeppelin.

Die Mutter, eine Dame von Rang, hat den ersten Salon von Hamburg geführt. Sie ließ die ersten Nobelpreisträger ins Haus kommen und führte sie der Hamburger Gesellschaft vor. Auch Heidegger wurde kurz nach dem Erscheinen von SEIN UND ZEIT – 1927 – herbeizitiert und mußte daraus ganz Blankenese vorlesen.

Doch bald *verschied* der Vater, umnachtet. Die Mutter lebte noch einige Zeit, starb aber auch, vielleicht an der Folge falsch dosierter Röntgen-Strahlen. Sie war wahrscheinlich eines der ersten Versuchskarnickel auf diesem Feld. Ihr Sarg verschwand in einem Meer von Rosen von der Insel Norderney. Dort auch die unvergeßlichen Sommer.

Mit sieben Jahren wurde Henry noch im Kinderwagen herumgeschoben. Er konnte schon Englisch und Deutsch, Lesen und Schreiben, aber richtig laufen konnte er immer noch nicht. »Aus dem wird nie was Rechtes, das war klar!« schrie mir seine *Tante,* Fräulein Grill, 95, die letzte Haushälterin und nun schwerhörig, über die Festtafel zu – oder einfach vor sich hin? Wir feierten seinen siebzigsten Geburtstag, und Henry war gerade dabei, in seiner Tischrede *den Dank abzustatten* dafür, daß wir ihn in seinem Leben begleitet hatten, wie er sagte, all die *alten und neuen, jungen und alten Freunde, die sich zum Fest trafen.* Henry hielt an jenem Tag mehrere Reden, schon eine Begrüßungsrede beim Empfang im Freiburger Parkhotel, dann wieder eine Tischrede, später noch eine Rede *in die blaue Stunde hinein* sowie eine Abendrede. Er hatte fest damit gerechnet, daß auch von den Gästen Reden kämen; doch niemand erhob sich von seinem Platz, keiner, der mit einer Handbewegung um Aufmerksamkeit gebeten hätte, keine Gabel wurde gegen ein Glas getippt, worauf der Saal verstummt wäre, und auch keine sogenannte Damenrede gab es. Mit nur einer Ausnahme: Cousin Ludwig erhob sich, und alles verstummte, schon aus Dankbarkeit, daß nun einer von den Gästen etwas sagen würde, zumal ein so erfolgreicher Mensch, einer, der selbst auf ein glanzvolles Leben zurückblickte, der Vater und Mutter des Geburtstagskindes noch lebend gesehen hatte und als einziger, zusammen mit Fräulein Grill, bezeugen konnte, daß es Glanz war, dem *unser Henry* entstammte; und daß er noch mit sieben, acht, neun Jahren auf Wunsch der Mutter und eigenen Wunsch von der Gouvernante im Kinderwagen herumgefahren wurde.

»Lieber, guter alter Henry! Herr Bundespräsident! Exzellenzen! Eminenzen! Hochverehrter Herr Heidegger! Meine Damen und Herren! – Das Schweigen ist der *Dank des Alters!* – Wir sind hier versammelt, um andenkend-grüßend dein Leben zu feiern. Wir freuen uns, daß du unter uns sein darfst. – Nach allem, denn wir wissen wohl, daß es nicht immer einfach war, zu bestehen.« *Nach allem!* Und an dieser Stelle kippte die Rede des einstigen Botschafters der Bundesrepublik Deutschland in Jugoslawien, Peru und Paris. Er hatte sich vorgenommen, eine aufrichtige Festrede zu halten, das Eigentliche sollte zwar nicht ausgespart werden, aber doch eher unausgesprochen anwesend sein. Zumal die Gäste ohnehin Bescheid wußten. Er hatte schon etwas getrunken, und überhaupt, in den letzten Jahren war ihm das Diplomatische irgendwie abhanden gekommen, in Paris hatte er dann vorzeitig aufgegeben, sich in sein Privatleben zurückgezogen und war mit seiner Frau von Hotel zu Hotel gereist, wobei die Festspiele in Bayreuth, Glyndbourne, die Wiener Festwochen, die Eröffnung der Austernsaison in Arcachon, die Vergabe der Goldenen Kochlöffel und die Bekanntgabe des Sommeliers des Jahres in Dijon ein festes zeitliches Gerüst abgaben. Um Weihnachten herum dann noch die Flucht ins Römerbad, von dort aus der jährliche Zahnarztbesuch in Basel sowie das jährliche *Durchchecken* bei Professor Morschner im Eidgenössischen Kantonsspital nächst St. Peter zu Basel. Der Botschafter war mit Henry aufgewachsen, gleichsam nebenan, zwar längst nicht so glanzvoll, aber von Henrys Seite her unterstützt, wie, weiß ich nicht, aber er war im Lauf seines Lebens immer wieder darauf zurückgekommen, daß die Verwandten nicht ganz so fein wie sein Elternhaus gewesen seien, und daß man sie deshalb unterstützt habe. Dann aber hat der Botschafter, der damals noch gar nicht Botschafter war, sondern lediglich an denselben Universitäten wie Henry die Rechtswissenschaft studierte und seine erste Referendarstelle in Bielefeld bekam, reich geheiratet. *Geradezu reich!* hatte mir Henry erzählt, *mehr als wohlhabend!*

Ich wußte damals noch gar nicht, was mehr ist, *wohlhabend* oder *reich,* aber Henry hat es mir gesagt. Eine Lippe-Biesterfeld, aber von der großen Linie! – Nicht mit Prinz Bernhard der Niederlande verwandt! – Oder nur sehr weitläufig. Aglaia, die ich nicht mehr kennengelernt habe, reiste gar nicht so gern, wäre lieber in ihrem Haus in Godesberg oder Gstaad geblieben, wo sie mit den Jahren auch blieb, während der Botschafter mit zunehmendem Alter immer mehr auf seinen alten Freund und Cousin Henry zurückkam, den er sich als Reisebegleiter und Zeitvertreib ausgesucht hatte, aber das war eher eine Notlösung beziehungsweise die falsche Wahl. Als Aglaia noch lebte, fuhren sie auch zu dritt herum, in der Zeit zwischen den Kindern, die nun in die Welt gesetzt, aufgezogen und ausgeflogen waren – immerhin fünf Kinder –, und dem Tod. Und nun wird das Ganze schon zum zweiten Mal wiederholt: die Kinder von damals haben es geradeso gemacht, aber nur noch dreimal: und die Enkelgeneration wiederholt wieder, aber nur noch einmal.

»Ach, Henry, nichts ist hinzugekommen, außer den Jahren! Du siehst genauso aus wie damals, nur etwas verschrumpelt! Oh, ja, auch dieses Fest hat seinen Glanz, du siehst, wir sind alle gekommen! – Du bist immer noch einer von uns. Ich sehe nur, daß unsere Cousine Elisabeth fehlt!« Ja, sie fehlte, war nicht eingeladen worden, weil Henry meinte, daß sie für das Fest zu dick sei, daß sie irgendwie nicht in den Rahmen paßte. Nicht nur Fräulein Grill, auch der Botschafter glaubte, daß aus Henry nichts Rechtes geworden war oder hat werden können, und sagte dies auch in seiner Tischrede. Henry atmete an dieser und jener Stelle vielleicht etwas schwerer, schaute aber trotz allem dankbar über die Tafel hinweg in die Ferne. »Wenn wir am Sonntag zum Segeln an die Außenalster hinausfuhren, kamst du uns mit dem Gebetbuch auf dem Weg zu Hauptpastor Albertis Predigt entgegen! – Nicht mal Fahrradfahren konntest du! – Und schwimmen auch nicht. – Ein toller Reedersohn! – Dann hast du ein erstes Mal versucht, dir das Leben zu nehmen, ein Sprung von der elterlichen Terrasse auf den angrenzenden Rasen hin.« Später konnte ich hören, wie er auf seine Tischnachbarin einredete, ich schnappte Halbsätze auf: »die einzige sportliche Leistung, die mir bekannt ist«, »leider mißglückt«. Und dann: »Hätte er es nur mal richtig gemacht! Aber dazu fehlte ihm auch wieder der Schneid!« Während der Rede schien Henry zuzuhören und wegzuhören, darüber zu stehen; er sagte nichts, als ein Mensch, der ihn von Anfang an kannte, Jahrzehnte nach dem ersten Fehlschlag ein gescheitertes Leben resümierte. Vielleicht stimmte nicht alles ganz genau, vielleicht war Henry doch einmal zurechnungsfähig gewesen, und der Geburtstagsredner flocht nur seinen eigenen Lebensekel in diese Rede hinein. Sie war wohl auch ein Aufschrei, den damals niemand richtig verstand, denn wir glaubten, es gehe um Henry von Nullmeyer, und der Botschafter habe sich vielleicht etwas zu viel herausgenommen, was wir aber mit dem Alkohol entschuldigten.

Seiner Tischnachbarin drängte er danach Einzelheiten auf, die sie doch schon wußte: »Er hat so schöne Gedichte geschrieben. – Den Literaturpreis der DAME gewonnen. Mit dem Preisgeld ist er in die Toskana gefahren. – Der Toskana-Zyklus entstand. – Ich habe den Druck ermöglicht. – Immer tüchtig zugeschossen. – Nun füllt er Kreuzworträtsel aus! – Liest die FRAU IM SPIEGEL. – Hat bei Heidegger studiert! – Hat Bücher geschrieben! – Hat mit Rilke korrespondiert! – Hat in wunderbaren Häusern gewohnt. – Ging eben keiner richtigen Arbeit nach. – Das Personal wurde mit Bildern von der Wand weg bezahlt. – Hat sich den Pullacher Landsitz für achttausend Mark abschwatzen lassen – 1952!« – Seine Rede endete mit einem Furioso, dessen Einzelheiten ich auslasse. Sie endete mit »Schade um dich! Schwamm drüber! – Und die Beckmannbilder sind auch weg! Macht nichts. Also: Ad multos annos, lieber Henry! Ich darf das Glas auf dich erheben!« Dann kippte er ein ganzes Glas hinunter, und als er wieder Platz nahm, sagte er noch: »So sind denn alle Glieder steif, nur nicht das eine!« – Standardsatz seines späteren Lebens. Dann verstummte er und schüttelte noch eine Zeitlang den Kopf. Die Gesellschaft klatschte, Onkel lächelte dankbar. Damit war die erste und letzte Rede auf Onkel zu Ende. Und dann kamen Henry doch die Tränen, vielleicht, weil er bereute, daß er alles falsch gemacht hatte, und weil er merkte, daß seine Mutter nun nicht mehr lebte, und kein Mensch mehr da war, der ihn liebte und verzieh. Aber er fing sich wieder, als eine Dame von hinten her zu ihm kam, ihren Arm auf seine Schulter legte und sagte, daß es halb so schlimm sei und wieder gut werde. – Es war Ida Chagall. In diesem Augenblick hatte ich auch Mitleid mit ihm, und ich hätte ihm den Wunsch, noch einmal von vorne anzufangen, von Herzen gerne erfüllt, wenn ich Gott oder die

Natur oder das Schicksal gewesen wäre. Denn man mußte ja weit zurück in Henrys Geschichte gehen, um die Gründe dieser Tränen auch nur zu erahnen. »Aus dem Boy wird sowieso nichts!« schrie die Haushälterin über den Tisch. Das habe ihr der Herr Geheimrat immer wieder gesagt. Er habe Henry im Grunde schon aufgegeben, als der mit seiner ersten Sechs in Rechnen nach Hause kam. Da habe er gewußt, daß er der letzte in einer langen Schiffertradition sei. Da habe er eingesehen, daß es damit zu Ende gehe, habe der Herr Geheimrat gesagt, schrie die nach wie vor blitzgescheite fünfundneunzigjährige letzte Haushälterin zu mir herüber. Wir saßen am Tischende dieser langen Tafel. Sie hatte auf der linken Seite niemanden mehr neben sich, ich auf der rechten niemand mehr. Die Prominenz saß oben. Neben Fräulein Grill saß Onkels Friseur, der ihn auch gelegentlich spazieren fuhr, neben mir meine Cousine Irma mit ihrem Mann. Ich war froh, daß ich so weit unten saß, und meine Cousine auch. Was hätten wir mit einem Altbundespräsidenten oder gar mit dem Sohn von Heidegger, der sein Leben dem Aufbau der Bundeswehr gewidmet hatte, reden sollen! Mir war es ganz recht bei der alten Haushälterin, die ich bei diesem Geburtstag zum ersten und letzten Mal sah, beim Friseur und bei Irma und Klaus.

Alles mußte so sein wie am siebten Geburtstag. Henry, der monatelang mit nichts anderem als Tischordnungen, Redeentwürfen, Danksagungen und sonstigen Geburtstagsvorbereitungen befaßt war, hatte sich das gleiche Essen gewünscht wie am siebten Geburtstag. O ja, auch dieses Fest hatte seinen Glanz, angefangen mit dem Schokoladenpudding. Es handelte sich um ein sogenanntes *süßes Menü.* Alles so wie damals, nur fehlten die Gäste von einst, außer dem Botschafter. Er ist mein Zeuge, mein Kronzeuge, der mir den einstigen Glanz versicherte. Sonst wäre ich ganz auf Fotos angewiesen. Die vier französischen Gäste, Ida Chagall vor allem, sie hatten vom süßen Menü nichts gewußt. Ich hörte, daß bald die Rezeption ersucht wurde, die schnellste Flugverbindung nach Paris herauszufinden, damit sie noch vor Mitternacht zurück sein und etwas essen könnten. Und doch war es ein Fest für alle. Ich glaube, jeder, der dabei war, wird sich ein Leben lang erinnern. Ich höre noch ein allgemeines Gelächter, sehe noch die Heiterkeit, das Ereignis, das dieser Geburtstag war, das er selbst war, Henry – alle sagten *Onkel* zu ihm –, sein Erscheinungsbild, sein Benehmen und Gebaren. Dabei schienen die Franzosen mehr über die Speisen und Speisenfolge amüsiert, die Schweizer und Österreicher mehr über Sprache, Auftreten und Gebaren. Die waren ja nicht zum Essen gekommen, sondern zum Schauen, wie die meisten anderen auch, außer den Deutschen, die weder lachten noch schauten; sie waren vielleicht zum Zuhören gekommen, denn Henry gab auch dieses Mal eine durch unsägliche orale Automatismen gespickte Bilanz seines Lebens, gekrönt durch den *Dank an die Mutter* sowie an Frau Heidegger, welche er als Stellvertreterin seiner Mutter auf Erden auserkoren hatte.

Kaum hatte sich der Botschafter mit seinen Worten nach Goethe gesetzt, ein Zitat, das außer dem Altbundespräsidenten wohl niemand kannte und daher nur verlegenes Gelächter auslöste, riß Henry mit einer herrischen Handbewegung, einer horizontalen Wischbewegung durch die Luft, als ob er den Beifall und das Gelächter und auch seine Tränen wegwischen wollte, die Aufmerksamkeit an sich und hob an: »Euch macht ihr's leicht! – Mir macht ihr's schwer!« Dieser Satz, den einige der Gäste als Zumutung aufgefaßt haben mochten, vor allem der Botschafter, der ja eigentlich nicht Gast, sondern Gastgeber war und wie immer alles bezahlte, war aus den »Meistersingern«. Er war nur ein rhetorisches Schmuckstück, zum Bereich des *ornans* gehörend, wie dies Henry noch in seinen ersten Semestern gelernt hatte, eine etwas sonderbare Captatio benevolentiae, Ausgangspunkt für seine Dankbarkeitsaufwallung, so wie sein Geburtstag eine Dankbarkeitsinszenierung und ein Dankbarkeitsfest war. Dankbarkeitsaufwallung und Dankbarkeitsfest: warum und wofür eigentlich, war keinem der Geladenen klar. Die meisten wußten doch von seinem – eher seelischen – Elend, von seiner einerseits glänzenden, andererseits miserablen Vergangenheit; daß die Zukunft, vor allem gegen das Ende hin, die kommenden Jahre, auf die man immer wieder *ad multos annos* trank, noch verheerender und das Ende ganz dunkel würde, das konnte doch keiner von uns ahnen.

Es konnten nicht alle kommen. Die Menschen seiner Kindheit waren mit einer Ausnahme tot. Andere, die später dazugekommen waren, waren auch schon tot oder sonstwie abhanden gekommen, vergessen, verloren, aus der Geschichte verschwunden. Es müssen doch, früher, irgendwelche Menschen dagewesen sein, außer der Mutter, von denen er mir nicht erzählt hat, Menschen mit Hand und Herz, die auch gekommen wären, die ihn getröstet hätten und vielleicht auch mich, die mir hätten sagen können, daß es um ihn nicht ganz so schlimm stehe, ich denke jetzt an seine Einsamkeit, die wir alle sahen und die kein Thema war.

Die im Lauf eines Lebens dazugesammelten, *Freunde* genannten Menschen waren aus ganz Deutschland, ja Europa, ja von überall her gekommen. Und so sah es auch aus: was sich da so angesammelt hatte, sah nicht wie eine konsequent, mit Verstand aufgebaute Sammlung aus, sondern eher nach Zufall. Ein schlechter Sammler dachte ich. Auch davon verstand er nichts. Der

Altbundespräsident gehörte doch schon gar nicht dazu. Ihn konnte er doch nicht *Freund* nennen. Er hatte ihn doch mit *Herr Präsident!* angeredet, und im Verlauf seines Dankes an den Präsidenten kam heraus, daß die beiden *per Sie* waren. Das hätte noch lange nicht gegen Freundschaft oder Nähe gesprochen, zumal ich wußte, daß sich Henrys Eltern auch *gesiezt* hatten, wenigstens tagsüber. Aber diese Gesellschaft war doch eher zusammengetrommelt worden, damit er den einen mit den anderen imponieren konnte. Kaum einer der Gäste wußte genau, wie eng der andere mit Henry von Nullmeyer befreundet war. Ich stellte bald fest, daß er sich mit kaum einem von den Gästen *duzte.* Aber sie mußten geladen sein, Henrys unauslöschbarem Drang nach Glanz zuliebe. »Ich bitte Sie, was hat Prinz Claus mit Ida Chagall zu schaffen!« warf ich später ein, als ich schon etwas betrunken war und als mir jemand weismachen wollte, daß der Kreis aber sehr gut zusammenpasse. Einige redeten Henry mit Vornamen an, und gaben sich damit als Angehörige des Bildungsbürgertums zu erkennen, und in seinen Dankesreden sprach er immer wieder den Botschafter mit Du an, viel öfter als nötig, zum Beweis, daß es Menschen gab, mit denen er *per du* war. »Weißt du noch, wie wir damals Tilla Durieux anriefen und sich eine tiefe Stimme meldete und du mit zitternder Stimme fragtest: ›Gnädiger Herr, kann ich bitte Ihre Frau Gemahlin sprechen‹, und sie dir antwortete: ›Am Apparat!‹?« Ich hatte gedacht, daß an diesem Tag einmal eine Erklärung für sein Leben, eine Erklärung überhaupt, oder wenigstens ein Hinweis, den er sich für diesen Tag aufgespart hatte, käme, von dem her auch ich, wenn nicht alles, so doch vieles verstünde. Es kamen Anekdoten. Gewiß, an der richtigen Stelle auch die Tränen, aber wie Tränen richtig übersetzen?

Von seinen Lebensgefährten war im übrigen niemand hier, außer dem Botschafter, dem Friseur, den er als seinen Chauffeur vorstellte, und mir. Onkel hat sich verspekuliert! dachte ich, auch im Hinblick auf all die Menschen, die hier, wohl nach dem Prinzip des freien Zufalls und der Beliebigkeit und aufgrund von Onkels Geltungsbedürfnis versammelt waren. Das sah *nicht* nach Lebenswerk aus. Dennoch jubelte Henry in seiner Rede nach dem ersten Puddinggang den Beginn einer Hymne von Hölderlin hinaus: »O Freundschaft! Krone der Welt!« – und Fräulein Grill kicherte, während der Botschafter, für alle sichtbar, für alle stellvertretend den Kopf schüttelte. »Wie alt wäre deine Mutter heute, lieber Henry?« fragte ich. Und dann begann er, von seinem Geburtstag an zu rechnen. »Hundertundzehn!« antwortete er. Mausetot und doch: sie war ziemlich die einzige, die an diesem Tag auflebte und ihm noch einmal durchs Haar strich. Ich habe es gesehen.

Das Essen hatte im sogenannten *kleineren Kreis* stattgefunden. Und ich hatte das Schlimmste schon hinter mir, den Empfang.

Oftmals, wenn ich auf meinem unauffälligen Platz im Leben saß, wurde ich einfach aufgerufen und in die Mitte gestellt, so schon im Kindergarten, wo ich etwas vorsingen sollte. Dann wieder in der Volksschule, wo man mich ein Gedicht aufsagen ließ, oder später im Internat, wo ich in unserem Theaterstück das Mauerblümchen spielen sollte. Das kann er aber! hieß es immer schon. Ich konnte derart singen, sprechen, spielen, daß ich die anderen, je nach Gemüt und Charakter, zum Lachen oder Weinen brachte. Die Geburtstagsgesellschaft hielt sich mit beidem aber zurück, war eher ratlos, als das Geburtstagskind verkündete, nun etwas Bedeutendes bekanntgeben zu wollen. Mir hatte er zuvor kein Wort gesagt, obwohl er *immer wieder alles durchgesprochen* hatte mit mir. Und schon gar nicht wußte ich, welche Rolle ich nun spielen müßte, als er mich vor sich her in die Mitte des Raumes schob und mir dabei ungeduldige, kaum überhörbare Kommandos zuflüsterte: »Nun geh schon!« Dann stand ich neben ihm in der Mitte. Er hätte gar nicht sein: »Darf ich um Ihre Aufmerksamkeit bitten!« in den Raum hineinrufen müssen. Alle waren schon still und erwartungsvoll. Ich sah mich nun auf diese Art in die Gesellschaft eingeführt, mein Alptraum von einem Debütantinnenball. – Neben ihm stehe Engelbert, sein Neffe, der ihm im Lauf der Zeit, *doch ein sonderbar Ding,* zum liebsten Menschen geworden sei, und dem er, neben seiner Mutter und Frau Heidegger, am meisten verdanke. Er habe nun beschlossen, ihn, zusammen mit seiner Nichte Irma, die auch anwesend und ein sehr nettes Mädchen sei, als Universalerben zu bestimmen. Irgendwann setzte Applaus ein, ich weiß nicht, wie ich diesen Auftritt überstanden habe. Aber ich habe ihn überstanden, denn anschließend zog mich Henry, der übrigens in eine rotseidene Clubjacke gekleidet war, zu seinem Rechtsanwalt und sagte, daß sich bei ihm sein Testament befinde, »damit du Bescheid weißt!« Von der Gesellschaft, auch von diesem Rechtsanwalt und Notar, wurde ich nun neugierig und schief gemustert. Denn einige wußten, daß Henry einmal geradezu reich gewesen war und möglicherweise immer noch über Mittel verfügte. Möglicherweise hatten sie selbst mit dem Erbenstatus gerechnet. Ich nahm ihre Blicke in Kauf. Sie sollten denken, was sie wollten, hatte ich doch Grund anzunehmen, daß nun für mich gesorgt sei, wie Henry immer schon gesagt hatte, ja, daß ich ausgesorgt hätte.

Als das Fest vorüber war, haben sich die Gäste zum Hauptbahnhof oder zum Flughafen fahren lassen und haben Henry und mich, wenn auch nicht das Fest, vergessen. Nächstes Jahr würde man sich wieder sehen, und jeder würde mit jedem tanzen, Ida Chagall mit dem Sohn von Heidegger, Frau Wallroth mit Prinz Claus. Alle würden kommen. Henrys Geburtstage hatten sich langsam zu einem gesellschaftlichen Ereignis in Mitteleuropa entwickelt. Der Kleesohn würde sich schon im Auto über Henry lustig machen, aber vielleicht würde es wegen seines Hasenzahngesichts auch nur so aussehen. Der junge Heidegger würde Irma sagen, unser Onkel sei beim Neukantianismus stehengeblieben, wohl eine Beleidigung, die wir nie verstehen werden, und das Fest würde wieder zu Ende sein, wenn Frau Heidegger den Satz sagte: »Mein Mann muß jetzt ins Bett!« Und ich würde auch kommen und alles ertragen.

Und so würde es noch auf Jahre hinaus weitergehen. Aber dann, als der fünfundachtzigste Geburtstag anstand, Tischordnungen und Tischkarten längst entworfen, die Einladungen längst verschickt und die Gäste angemeldet waren, wollte Henry nicht mehr: Es sollte sein *Abschiedsfest* sein, sein *Abschied von der Gesellschaft,* beginnend wie immer mit dem Empfang im Parkhotel. Doch soweit sollte es nicht mehr kommen. Warum, weiß ich auch nicht. Henry saß mit dem Heideggersohn, dem Botschafter und mir in seiner heruntergekommenen Wohnung in der Oberen Mercy-Straße auf dem Lorettoberg, und wir waren gerade bei einem Piccolo, als es klingelte. Es meldete sich wohl das Parkhotel: Wo er denn bleibe, die Gäste seien schon eingetroffen. Henry ließ sich auf der Stelle nach hinten auf den Boden plumpsen, er war, wie ich wußte, ein begnadeter Simulant. Aber dies hier ging doch zu weit. Ich hatte geglaubt, daß Henry alles abgeblasen habe. Nein, er hat sie alle kommen lassen, wohl seine Art von Rache an der Gesellschaft. Ich wußte nun aber auch, jenseits von allen Abrechnungsphantasien, daß mit Henry irgend etwas nicht mehr stimmte. Der Heideggersohn schlug eine Mund-zu-Mund-Beatmung vor, wodurch er zeigte, daß er Herrn Professor von Nullmeyer niemals durchschaut hat. Der Botschafter schüttelte den Kopf, und ich eilte zum Telefon, nahm den nach unten baumelnden Hörer: es war der Direktor des Parkhotels persönlich, der sagte, es seien *alle* da. Als sich Henry wieder aufgerappelt hatte, der Botschafter und ich eine Erklärung verlangten, sprach er von einer *schweren Migräne.* Er sei nicht in der Lage, unter diesen Umständen im Parkhotel zu erscheinen. Diese Menschen hätten sich immer nur aufgedrängt. Sie konnten zurückfahren. Das war seine Art von Abschiedsfest. Einmal hat er sie alle gezwungen, ihn wahrzunehmen, wenn auch durch seine Abwesenheit. Von diesem Tag an ließ man Henry einfach fallen. Er gab nun nichts mehr her, ein gesellschaftliches Ereignis weniger in Mitteleuropa. Er war abgeschrieben. Ida Chagall, zum Beispiel, die doch behauptet hatte, daß Henry ein Teil ihres Lebens, ja ihr Leben sei, hat sich auch nicht mehr gemeldet. Allein die Heideggers kamen treu angefahren, doch von den Heideggers allein konnte er auch nicht leben. Die Konsequenzen seines Verhaltens hatte er wohl nicht recht durchdacht. So verstummte er und starb. Das aber war lange nach dem siebzigsten Geburtstag. Soweit war es noch lange nicht.

Besondere Kennzeichen: Keine

Schon in meinem ersten Personalausweis standen lächerliche 1,49 m, worüber meine Spielkameraden, die es damals noch gab, schon lachten. Ich war gerade sechzehn Jahre alt geworden, und dieser Ausweis war von mir als Aufwertung, als Existenzberechtigungsnachweis gedacht. So ging ich eines Tages mit meinen schönsten Fotos aufs Meldeamt. Da war eine Dame, die mich anschnauzte, warum ich solche Fotos mitgebracht hätte. Sie benötige ein Foto mit Ohren. Ich hatte damals langes Haar, gewiß nicht, um mich von der Gesellschaft abzusetzen, sondern, um mich ihr anzugleichen. Sie ging ins Nebenzimmer. Ich glaubte, das Wort *Zwerg* herauszuhören. Dann kam sie mit einem Polaroidapparat zurück. Ich solle jetzt die Ohren freimachen. Da ich etwas aufgeregt war, stotterte ich *ja.* »Stottern tun wir auch noch! – Bei diesen Ohren kein Wunder! – Das hat gerade noch gefehlt. Jetzt weiß ich gar nicht, ob ich das unter ›Besondere Kennzeichen‹ eintragen muß.« Sie verlangte zwei Mark von mir für das Foto, bevor sie das Bild in den Ausweis klebte. »Einmeterneunundvierzig!« sagte sie dabei vor sich hin. Aber damit war ich gar nicht einverstanden. »Einmeterfünfzig!« protestierte ich. Umsonst. Sie wollte mich unter der 1,50-Marke halten. Dann schob sie mir den Ausweis hin. Ich sollte unter dieses häßliche Foto meinen Namen setzen. Sie zeigte mit ihrem Zeigefinger auf die entsprechende Stelle und kommentierte dann, als ich schrieb: »Da müssen wir aber noch etwas üben!« und schickte mich hinaus. Ich war aber dennoch stolz, daß ich nun einen richtigen Ausweis hatte und ging, mit ihm versehen, zwei Jahre durchs Leben.

Nach zwei Jahren kam ich wieder, um mich für den Paß vermessen zu lassen. Mit der Sicherheit, daß es die letzte amtliche Vermessung bis zur Musterung sein würde, hatte ich mich aufgemacht, auch wenn ich wußte, daß es dieselbe Person sein würde, die mich vermessen durfte. Natürlich hörte ich ein Lachen, glaubte ich ein Lachen zu hören, als sie mich erblickt hatte, wie ich auf der (ungepolsterten) Wartebank saß und sie hinter ihrer (gepolsterten) Tür verschwand. Als sie mich aufrief, hatte sie sich allerdings zusammengenommen und begrüßte mich in etwa mit den Worten: »Kompliment! Wir sind noch ein kleines Stück gewachsen!« Ich solle mir jetzt die Schuhe ausziehen und mich an die Meßlatte stellen. Das habe ich widerspruchslos gemacht. Ich habe mich immer angepaßt, anpassen wollen, anpassen lassen. Von nebenan hörte ich, wie sie ihre Kolleginnen informierte, daß ich wieder da sei. »Er ist wieder da!«, dann hörte ich das Wort *Schießbudenfigur*, worauf herzlich gelacht wurde. Ich war also innerhalb von zwei Jahren vom *Zwerg* zur *Schießbudenfigur* avanciert. Die Meßlatte war eine Art Vollstreckungsorgan, das Einschüchterungsinstrument der Gesellschaft, bei dessen Anblick ich vielleicht einige Zentimeter einbüßte, zusammenfuhr. Die Vermesser wollten mich klein haben. Daß andere nicht so sehr zusammengefahren sind, war ihr Vorsprung. Ich habe damals keineswegs beschlossen, nun nicht mehr weiterzuwachsen. Es war einfach so, schon beschlossen, aber nicht von mir. Sie hat mich noch einmal kleiner gemacht, für immer auf 1,59 degradiert. Sie wollte mich einfach unter 1,60 haben, warum weiß ich auch nicht. Sie gönnte mir die Sechs nach dem Komma nicht. Aber ich wollte doch nicht mit 1,59 verewigt sein! Und doch ist es so gekommen; und in den Paß schrieb sie dann unter *Besondere Kennzeichen:* Keine. Warum dies alles? 1,59! Ich war doch bestimmt größer als sie, das war's. Ich hatte mich nämlich zu Hause schon gemessen und war auf gute 1,60 gekommen, während sie nur aufgrund ihrer Stöckelschuhe einen kleinen Vorsprung hatte. Also laufe ich mit amtlich ausgewiesenen 1,59 durch die Welt. Was ist schon ein Zentimeter! Aber für mich war dieser Zentimeter eine Welt, die mich vom Leben trennte.

Ich kam mir so klein vor, daß ich die Empfindung hatte, gar nicht ganz auf der Welt zu sein. Daher rührte auch der Ehrgeiz, groß zu werden; die Anstrengungen, es den anderen zu zeigen, schon meinen Brüdern und danach dem ganzen Hotzenwald. Meine Freundin Hilde, selbst klein, ja kleiner als ich, sagte mir im Vertrauen, daß Frauen kleine Männer nicht mögen, sie wollten einen zum Anlehnen. Oft genügte es schon, bloß groß zu sein, während sich so ein Kleiner ganz schön ins Zeug legen mußte, um bei einer Frau anzukommen.

Ich habe mir dann schon früh die großen Kleinen zum Vorbild genommen, sobald ich von ihnen wußte, und machte ein Verzeichnis: Heinrich Schliemann (1,49), der Entdecker von Troja und Eroberer einer wunderschönen Frau, Heidegger (1,61), großer Denker, ein ausgesprochener Frauenliebling, Picasso (1,55), mehrfach verheiratet, der größte Frauenmaler des Jahrhunderts, Onassis (1,52), noch ein Frauenheld, schließlich Humphrey Bogart (1,61), den der Regisseur bei den entscheidenden Szenen immer auf einen Schemel stellte. Ich (1,59) war also etwas kleiner als Heidegger, unwesentliche zwei Zentimeter, aber gute zehn größer als Schliemann, sieben mehr als Onassis, vier größer als Picasso, und gerade lumpige zwei Zentimeter kleiner als Humphrey Bogart. Ich schöpfte Hoffnung, meine Liste gab mir Boden unter den Füßen, auch den Frauen gegenüber, von denen ich die größten Kleinen ebenfalls eintrug: Königin Elizabeth II. von Großbritannien (1,40), Soraja

(1,43), die Frau von Ionesco, deren Vornamen ich im Augenblick nicht weiß (1,32), Rita Pavone (1,35), Rita Süßmuth (1,44), eine deutsche Politikerin. Die kleinste unter den Großen war aber unbestreitbar die Sextherapeutin Ruth Westheimer (1,29), die mir bewies, daß auch die Kleinen ganz auf der Welt sind. All die Genannten waren also näher bei hundert Zentimetern als bei zweihundert und waren auch Menschen, während ich eindeutig näher bei zweihundert Zentimetern war. In jungen Jahren wog die Jugend viel auf: Der Kleine ist aber süß! hieß es von mir. Als Kind war ich so schön, daß die Frauen stehenblieben und sich mit mir auf dem Arm fotografieren lassen wollten. Ich war in der Endausscheidung für den ersten TV-Werbespot für Kindernahrung. Dann ließ das Interesse des anderen Geschlechts an mir deutlich nach. Besonders schmerzlich war die Tanzstundenerfahrung: spätestens da mußte ich mich damit abfinden, daß ich der Kleinste von allen, die Mädchen mitgerechnet, war, zumal auch die kleinsten von ihnen das Privileg des Stöckelschuh-Tragens hatten und mich von da in die Schranken wiesen. Keine von ihnen wollte mich als Partner haben, und der Tanzlehrer mußte unter Androhung von Strafmaßnahmen zu Beginn jeder Stunde eine Partnerin für mich finden. Ich glaube, das war die größte Erniedrigung meines Lebens. Dann das Studium, die ständige Erweiterung meiner Liste sowie die Aussicht, auf irgendeine Art berühmt zu werden, und dann wieder von Frauen umringt zu sein, wie alle großen Kleinen. Klein war ich schon, jetzt mußte ich nur noch groß werden. Ein Trost war, daß das Gesicht blieb, ja, mein *schönes* Gesicht, meine ansprechenden Lippen, die Augen, die größer waren als bei den Zwei-Meter-Kolossen, mein Blick, dieser eindringliche, suggestive, gewinnende Blick. Oft habe ich mich im Spiegel betrachtet: freilich nur im Sitzen. Ich fand mein

Gegenüber so gesehen hinreißend. Da sah mir jemand in die Augen, den ich unwiderstehlich fand, im Spiegel. War ich einfach nur ein Narziß, der sich völlig unnötig quälte? Auf unseren Ausflügen drängte ich darauf, daß keine Fotos im Stehen gemacht wurden. Die Gruppe sollte im Gras sitzen und ich in der Mitte. Ein philosophischer, ein schwermütiger, ein hinreißender Blick. So täuschte ich, für später, auf Fotos eine Existenz vor. Und als Achtzigjähriger würde ich sagen, ich hätte durch das Alter und eine seltene Krankheit, *Implosiasis,* eine Art Schrumpfungsprozeß des Körpers, etwa zwanzig Zentimeter verloren. Nur keine Filmaufnahmen, etwa auf einer Wanderung oder bei einer Prozession! Und auch keinen Tonbandmitschnitt. Meine Singstimme fand ich zwar auch berauschend und bekam vor allem als Sternsinger immer wieder Komplimente. Aber was ich da auf dem Recorder hörte, das konnte doch nicht *ich* sein! Ich hatte bei dieser Stimme den Eindruck, daß da ein seltsamer Kerl sprach – oder gar eine Frau. Und so nahm ich mir vor, als es darum ging, für meinen Anrufbeantworter eine Ansage zu sprechen, die Stimme unten zu halten, wie in Hollywood und in den amerikanischen Werbespots; ich übte eine männliche Ansage, um zu verhindern, daß ein Verrückter *Gnädige Frau* auf Band sprach.

Obwohl ich doch so unscheinbar war, daß ich nicht übersehen werden konnte, wie ich glaubte, erinnerte sich kaum jemand an mich. Ich mußte mich immer wieder neu vorstellen und immer wieder neu vorgestellt werden. Bei den Geburtstagsfeiern hat man ein Jahr später schon wieder getuschelt: »Wer ist denn das?« Meist hat man mich mit falschem Namen angeredet. Das war schon im Kindergarten so. Ja, schon zu Hause und in der Schule, bis zuletzt ist das immer wieder geschehen. Man sagte *Ekbert* oder *Erhart, Eberhard* oder gar *Engelhard* zu mir, statt *Engelbert.* Mir prägte sich diese Welt dadurch ein, daß sie jene war, die mich nie recht wahrgenommen hat. Die Großtante aus Mannheim sagte manchmal sogar *Erich* zu mir oder *Ernstle.* Und wenn ich ins *Rößle* zurückkam, konnte es geschehen, daß mich meine Mutter mit *Engelfried* anredete und es nicht einmal bemerkte. Sie hat es nicht so gemeint. Und meine Brüder musterten mich zuweilen, als ob sie nicht wüßten, wo sie mich *hintun* sollten. Ich fürchte, daß mich nicht einmal unser Hund wiedererkannte.

Cruising war mir nicht möglich. Die anderen hätten mich dabei erdrückt, nicht absichtlich, nein, eher so, wie eine Sau ihre Ferkel beim Hinlegen erdrückt. Oder ich hätte wenigstens im Gedränge das Bier ins Gesicht bekommen, mit denen die anderen herumliefen. So bevorzugte ich solche Lokale, wo ich sitzen konnte und wo es dennoch nicht so hell war wie in einem Damencafé, nicht so ausgeleuchtet, möglichst mit einem Kissen unter mir und mit einem Tisch vor mir als Schutz. In solchen Discos, da kam ich an. Wehe aber, wenn ich zum Tanz aufgefordert wurde! Da konnte ich nur noch einen Korb geben. So ein kleiner Junge mit einem hübschen Gesicht gilt auch, wenn er einen Kopf kleiner ist als die anderen, immer noch als süß. Nicht aber ein Erwachsener mit dreißig, vierzig, der im Foyer steht und im Parkett an Damen vorbei muß und mit seiner langen Nase die Wonderbras streift. Daher bin ich nie mehr ins Theater gegangen und auch in die Oper nicht, obwohl ich die Oper, die geradezu eine Gegenwelt zum Hotzenwald war, liebte. Mir blieben also nur die quasi konzertanten Aufführungen, zu Hause, die großen Querschnitte vom Plattenspieler. Im Foyer zu stehen empfand ich als Schande, als Erniedrigung, von der ich nichts hatte. Ich war ja kein Masochist, und Frotteur war ich auch keiner. Ich hätte von den Menschen und der Musik weg ins Geistige flüchten können, aber wie? Nur notgedrungen bin ich zum Leser geworden und auch zum Schreiber: ich mußte schreiben, wie es war. Aber warum das Ganze auch noch festhalten wollen? Ins Geistige flüchten... Die Bücher waren auch für mich nichts anderes als Notlösungen, in denen ich blättern konnte, und es rauschte. Notlösungen, auf die ich keine Lust hatte, die mich sogar verstimmten. Es war auch ein Groll auf Gott oder die Natur dabei, denn mir war gesagt worden, daß ich mich selbst auch noch als Geschenk auffassen, für das ich dankbar sein solle. Oder es war einfach *das Schicksal,* dem sich der Kluge beugte. Ach, ich hatte damals aber keine Lust auf Gott, die Natur, auf Wanderungen und ihre Ziele. Es gab Menschen, die es von oben herunter gut meinten mit mir. Nur: dieses Leben hatten sie immer übersehen, das kam noch hinzu. Spätestens mit dem ersten grauen Haar, ja viel früher: spätestens als ich begann, mich zu rasieren, klang das Wort *süß,* auf mich angewandt, spöttisch, fatal. Und doch gab es immer noch Menschen, die zu mir wollten, meinesgleichen. Das hatte ich immer wieder beobachtet im Leben: Schon im Biergarten saßen sie nach ihrer Erscheinungsform an den Tischen zusammen.

Die Großen, die stattlichen Erscheinungen waren meine natürlichen Feinde, denen ich ja nicht gewachsen war. Das war schon zu Hause so. Ich nahm meine Brüder, die bis zu anderthalb Köpfe über mich hinausragten, als meine Feinde wahr. Nur die Mutter ließ ich gelten, auch in meinem Herzen, denn sie war barfuß so groß wie ich in Hausschuhen. Ich hatte das Gefühl der Ebenbürtigkeit, so wie das auch bei großgewachsenen Frauen der Fall war, denen ihre Körpergröße ebenfalls ein Problem war: sie verstanden mich, während die Kleinen mich haßten und verachteten, denn sie mußten sich oftmals mit meinesgleichen zufrieden geben und sich, oftmals ein Leben lang, von meinesgleichen beherrschen lassen. Besonders jene Frauen, die auf Stöckelschuhen gerade so groß waren wie ich und auf mich herabzuschauen versuchten, haßten mich, weil sie ihre Überlegenheit nicht sichtbar machen konnten, so dachte ich, wenn ich *oben* war. War ich aber *unten,* dann grollte ich meiner Mutter und führte meine Erscheinungsform geradewegs auf ihre Erbanlagen zurück. Einen Großonkel mütterlicherseits konnte man nämlich schon fast als Zwerg bezeichnen. Wem sonst sollte ich einen Vorwurf für meine Existenz machen, wenn nicht meiner Mutter, die nicht einmal darüber nachgedacht, mich einfach in die Welt gesetzt, geworfen hatte – etwa Gott, dem Schicksal oder der Natur? War etwa die Mutter nur ein Medium, wenn auch des Universums, das ich über sie erreichte, wenn auch so (vgl. *geworfen)*?

Ein Zusammenhang mit meinem Vater ließ sich nicht so einfach herstellen, war für mich kaum nachzuvollziehen, obwohl der Mensch von Adam und Eva an weiß, daß es der Vater ist, der für alles verantwortlich ist. Ich hätte gerne einmal Adam gefragt, was er zu seinem Vater sagt, wie er über ihn dachte. Oder auch den ersten Menschen hier auf der Erde, nicht den in der Bibel, wie er über seinen Vater denkt, dachte – und ob er zufrieden war mit seinem Leben, und auf wen er sich zurückführte. Er konnte doch noch viel weniger eine Antwort haben, es war doch das erste Mal, er konnte doch noch viel weniger wissen als ich, woher er war, dachte ich. Der Großonkel, der auch bei uns *im Rößle* lebte, hatte aufgegeben, alles akzeptiert, resigniert, sich auf Bier und Zigarren beschränkt, war ansonsten aber – bis auf dreckige Witze – verstummt und galt bei uns als Philosoph, genannt *das Herrmännle,* er war eine Respektsperson im ganzen Hotzenwald, ein böses, kleines Vorbild, das sich auch für mich angeboten hätte. An einem hoffnungsvollen Tag dachte ich, daß ich einmal Nachfolger meines Großonkels werden könnte, was das Hadern, aber auch die *Akzeptanz,* das Einverstandensein angeht. Ja, an hellen Tagen wollte ich sogar mehr: ich wollte etwas sein in der Welt, wollte den Menschen zu Diensten sein, wollte in die Krisengebiete, ähnlich wie Mutter Teresa, die auch klein war und die ich ihrer Größe wegen bis zum heutigen Tag bewundere. Später gab es auch einen Versuch, mich bei ihr anzudienen, doch, wie ich erfuhr, herrschte geradezu ein Andrang bei ihr. Es mußte also Menschen geben auf der Welt, die so waren wie ich, die helfen wollten, die Gründe hatten, die meinen glichen. Das war später, vorerst hatte ich meinen Großonkel, den Onkel meiner Mutter aus der Zwergenlinie. Unsere Zwerge! Wir stammten alle von der spanischen Zwergenlinie ab, wie sie Velazquez gemalt hat. Unklar war und blieb, wie wir in den Hotzenwald gekommen waren. Strenggenommen hatte es bei uns zwar einen richtigen Zwerg bisher nicht gegeben, auch mein Großonkel und ich waren nur ein Zwischending, eine Erscheinungsform auf dem Weg zum Zwerg, der in ihm und in mir angelegt und angedeutet war. Großonkel war so weise, keine Kinder in die Welt zu setzen: auch hierin hätte er Vorbild pro multis sein können. Er war es auch wenigstens für mich. Meine Urangst vor Zwergen, *vor dem Zwerg,* der jederzeit wieder erscheinen konnte, war groß und hielt mich von einer sogenannten Zeugung wie von einem Attentat ab. Die vage Überlieferung, daß unter den Zwergen ganz berühmte gewesen seien, daß wir von Menschen abstammten, die alle von Velazquez gemalt wurden, hat uns aber auch stolz gemacht, wenn nicht eingebildet. Wie die genealogische Linie verlief, konnten wir ja nicht sagen. Erst den Nachforschungen von Henry verdankten wir die Einsicht, wenn nicht Kenntnis, daß wir mütterlicherseits von Vorfahren abstammten, die als Spielzeug für Infanten und Kardinäle am spanischen Hof gehalten wurden, die ebenfalls *streng nach dem spanischen Hofzeremoniell* ihr Leben geführt hatten, wie sich Onkel ausdrückte, und eine Kostbarkeit waren, so prestigeträchtig wie Papageien und andere Tiere, die sich nur die höchsten Menschen von damals leisten konnten und die ebenfalls nach dem spanischen Hofzeremoniell leben mußten, ob Papagei oder nicht. Auch sie hat Velazquez gemalt. Es gibt jenes berühmte Bild mit Papagei und Jagdhund, und in der Mitte steht ein direkter Vorfahre von uns allen, mütterlicherseits, auf einem Schemel. »Ein böses Bild!« bemerkte Henry, der Kunsthistoriker. Sogar der Papagei scheint größer als unser Ahne, während der Jagdhund eindeutig größer *ist.* Dann holte er den Pradokatalog und zeigte mir unser Bild. Bilder... Ich mußte schon früh aufpassen, daß bei den Aufnahmen nicht das Unvorteilhafte in meinem Gesicht zum Vorschein kam. So übte ich vor dem Spiegel, um möglichst schön festgehalten zu werden, reglos zu bleiben, so gefiel ich mir am besten. Vor dem Spiegel die Erscheinung zu üben war nicht leicht. Unbeobachtet werde ich doch recht mißgelaunt ausgesehen haben? Ich habe mich niemals getraut, einen Menschen zu fragen: Sag, sehe ich mißgünstig aus? Sieht man mir meine Unzufriedenheit an? Ist mir etwa das Unglück ins Gesicht geschrieben? Ich mußte mich bald anstrengen, nicht verbittert zu wirken. Die Menschen schlossen ja aufgrund meiner Erscheinung auf mich, ein Unrecht, empfand ich. Zum Glück hatte ich eine bedeutende Nase, mitten im Gesicht, ganz unabhängig von meinem Gesichtsausdruck. Da war sie: schicksalhaft-statuarisch, und ich weiß, was das Volk aus so einer Nase schließt. Doch wenn ich *unten* war, schämte ich mich auch noch für meine Nase, kam ich mir wie ein Ausleger falscher Fährten vor. Meine Mutter sagte, ich sei aber gut gewachsen, habe gesunde Glieder, sei aber gescheit und gesund. Das war für sie die Hauptsache.

Daß sich meine Größe schon früh abzeichnete (ich war und blieb vom Kindergarten an immer einen Kopf unter meiner jeweiligen Umgebung), fiel, wie ich annehme, meiner Mutter zuerst auf, noch bevor ich selbst es merkte. Aber die Glieder! Alle! Gesund! Er hat keinen Buckel! Er ist kein Linkshänder! Er raucht nicht! Er ist anständig! Er stiehlt nicht! Er hat keine Freundin! Er ist so lieb! Still! Er hat aber ein schönes Gesicht! Er liest! – Derart wurden meine Vorzüge von ihr angepriesen, wenn die Verwandtschaft zu Besuch kam. Später bin ich – leider – auf die Philosophie gestoßen, einen Satz von Spinoza habe ich in meinem Zusammenhang bis heute nicht vergessen können und von Anfang bis heute auf mich bezogen: *omnis determinatio est negatio,* das heißt, sagte ich mir, daß, wenn Mutter den Kaffeetanten erzählt, daß ich ein schönes Gesicht habe, daß ich anderes nicht habe, daß ich anderes nicht bin. Kein Objekt der Begierde, wie ich erfahren habe, keine stattliche Erscheinung, zum Beispiel. Tatsächlich hat zu mir auch niemals ein Mensch gesagt: *ich will dich!* so wie man *ich will dich!* sagt, wie ich es in den Filmen gesehen habe, höchstens einmal ein Besoffener oder eine Frau mit Herz. Meist aber hörte ich Sätze wie: *Wir passen nicht zusammen* oder einfach *Schade!* oder *Was fällt dir ein!* oder *Du kriegst gleich eins auf die Pfoten! Laß das!* und das herzzerreißende *Können wir nicht Freunde bleiben?* Von da vielleicht die Atemlosigkeit, das Asthma, das eines Tages (es war Nacht) im Liegen zu mir kam. Mein Bett war wohl feucht, ein altes Bett, die Decken wohl noch aus dem vorigen Jahrhundert, schwer, sie erstickten mich, ich greife vor.

Ganz früh, damals zu Allerheiligen, wenn die ganze Verwandtschaft nach dem Friedhof bei uns im *Rößle* saß, *um die Toten ausklingen zu lassen,* dann aber bei den Lebenden landete, fing Mutter gleich wieder damit an, kaum daß sie einen besorgten oder zweifelnden Blick, der mir galt, aufgeschnappt hatte: »Das wird schon noch! Er ist erst acht! Wird schon noch wachsen! Ein Spätentwickler!« Woher sie damals dieses Wort hatten, weiß ich heute noch nicht. »Aber er kommt bei den Weibern an! Mehr als wir!« konnte ich ein paar Jahre später meine Brüder hören. Das war nun nicht mein Verdienst. Ganz selten einmal sagten die etwas über mich und von mir, nur nebenbei, etwa neben dem 17-und-4-Spielen im *Rößle.* Wahrscheinlich schämten sie sich, konnten es aber nicht sagen. Den Verteidigungsreden meiner Mutter und dem Nicken von Großonkel Herrmännle konnten sie auch nichts entgegnen. Vielleicht einmal ein Erröten, ein anderes Mal wieder ein grobes Auflachen bei Tisch, wenn unsere Mutter ihre Sätze in den Raum warf: »Aber er ist schon recht! Er wird es euch schon noch zeigen!« Später verlangten sie, ich solle ihnen ein Pornoheft aus der Stadt mitbringen, irgendwelche Weiber, Wichsvorlagen, und dabei erröteten sie und versuchten gleichzeitig, von ihrem Erröten durch ein Gelächter abzulenken. *Jetzt hast du wieder keine Weiber mitgebracht!* war der Ersatz für eine Begrüßung unter Brüdern, und wenn sie nach meinen Weibern in der Stadt fragten und dabei ein Wichsen andeuteten, war dies der Ersatz für ein Gespräch, zugleich eine Handbewegung zum Zeichen, daß ich zurückgeblieben war. Dann aber der Neid, als eines Tages doch eine Frau zu Besuch kam ins *Rößle,* ein richtiges Weib, und noch dazu meinetwegen. Da gaben sie klein bei: sie verstummten einfach, sagten gar nichts, saßen einfach so am Tisch mit dem Kopf nach unten und löffelten und schmatzten vor sich hin. Als meine Mutter dann fragte, ob sie stricken könne, und noch vor einer Antwort meine Vorzüge pries, lachten sie auf, noch bevor sie mit der Aufzählung begonnen hatte: »Wenn ich früher in seine Kammer ging, um ihm das Weihwasser für die Nacht zu geben, war er schon mit gefalteten Händen eingeschlafen! – Er hat immer zur Nacht gebetet, im Gegensatz zu euch Rabauken, die ihr nicht einmal richtig das Kreuzzeichen machen könnt! Als Kind sah er aus wie ein Engel!« Ich errötete, der frechste meiner Brüder aber äffte seine Mutter nach: *wie ein Engel!,* und er versuchte ein Gesicht wie ein Engel zu machen, was ihm mißlang. Mit Schrecken erinnere ich mich an den Tag, als wir zum Einkleiden für den Winter in die Stadt fuhren, und meine Mutter beim Unterhosenkauf der nächstbesten Verkäuferin sagte: »Er wird nämlich Priester!«

Ich bildete mir ein, eine Hühnerbrust zu haben, was gar nicht stimmte. Doch am meisten zu schaffen machten mir die schmalen Handgelenke, die zu den Klavierhänden überleiteten, die ich zu vertuschen suchte wie die vermeintliche Hühnerbrust wegen dem fehlenden Haar darauf. Und diese Oberarme! Eine Schande für den Erstgeborenen einer Viehhändlerdynastie, weswegen ich immer nur lange Hemden, auch im Sommer, und irgendwelche Jacken trug und nie mit den anderen zum Schwimmen ging. Schade, denn wahrscheinlich habe ich einiges versäumt. Die Turnstunde war von Anfang an die Hölle, aufs Reck kam ich nie. Die anderen sahen, wie ich mich abmühte. Am schlimmsten, bildete ich mir ein, war aber das von mir gar nicht so genannte Hinterteil, in meinem Wortschatz auch in der Umschreibung ausgespart, mein Arsch, kugelrund; wie ich über den dreiteiligen, verstellbaren Schlafzimmerspiegel zu Hause durchaus feststellen konnte, eine Weltkugel mit einem deutlich sichtbaren, vertikal verlaufenden Äquator. Ihn versuchte ich mit weiten Hosen und langen Jacken zu vertuschen, so gut es ging in einer Zeit, als *hauteng* Mode war.

Das sogenannte Schöne war bei uns im *Rößle* verpönt, verfemt, ja verboten. So kann ich mich erinnern, daß einmal im Frühjahr, am Tag nach der kalten Sophie (15. Mai) der Großonkel zu meiner Mutter in den Garten kam – der ein reiner Nutzgarten, ohne eine einzige Blume war – und sie dabei ertappte, wie sie gerade ein paar Lupinen-Setzlinge eingraben wollte. Er riß sie sofort heraus und warf sie tobend auf den Misthaufen. Das wären die ersten Blumen gewesen, die *ohne Grund* bei uns geblüht hätten. Das gebe es bei uns nicht! ließ er sie wissen. Sie hat es später nie wieder versucht. Meine Mutter hat erstaunlich viel ausgehalten. Sie kam als weichherzige, doch starke Frau zu uns ins Haus (aus Meßkirch! – eine Viehhändlerbeziehung – von da auch die lebenslängliche Verehrung für Heidegger), aber drei bis vier Mal im Jahr hat sie sich dann doch auf den Boden geworfen und gestrampelt, und das hieß bei uns: *Sie hat es in den Nerven*. In Waldshut hieß es *Die Rößlewirtin kommt vor lauter noch darüber hinaus!*, das heißt in etwa *deswegen verrückt werden.* Henry dagegen hat nur gedroht damit, hat mir noch manchen Drohbrief geschickt, daß er noch verrückt werde, *deswegen*, angedeutet, er müsse mich aus dem Testament streichen, und geschrieben, er habe auf dem Boden gelegen und in die oberste Treppenstufe gebissen, aus Liebe und Schmerz. Gesehen habe ich es nicht. Hinunterstürzen wollte er sich, schrieb er. Was hätte der Botschafter dazu gesagt?

Das Schöne, der Schlaf, Krankheit und Singen galten als weibisch und waren eigentlich verboten. Sprechen ging nur laut und grob. *Ich liebe dich!* zu sagen wäre obszön gewesen, das obszönste, was zu sagen möglich war. (Zu denken?)

Dreckige Witze galten als männlich. Bier galt als männlich. Schnarchen galt als männlich. Rülpsen und Furzen galt als männlich. Gähnen (das Wort gab es nicht, man sagte: *das Maul aufstrecken)* galt als männlich. Dabei die Hand davorhalten galt als weibisch. Einfach nur *danke* zu sagen, hätte sich ein Mann nicht erlauben können. Man mußte der Bedienung, die das Bier brachte, zur Abschwächung dieses Fauxpas in den Arsch zwicken, verdeutlichen, daß *danke* eigentlich nicht ernstgemeint war. Sich zu entschuldigen war eine Obszönität, die gar nie vorkam. Gar *Hilf mir!* zu sagen, das war wie von einem anderen Stern. Das hörte ich nie.

Die Frauen stellten ohne weiteres punkt zwölf das Essen auf den Tisch, an dem die Männer saßen, und es wurde kommentarlos alles hinuntergelöffelt, verschlungen. Schmatzen ist doch kein Kommentar? Vollkommen stumm, seitdem im *Rößle* das Tischgebet abgeschafft war. Meine Brüder rissen nur dann das Maul auf, wenn sie sagen wollten, was ihnen nicht schmeckte. Keine Worte, Widerworte waren es, so vorgetragen, daß Gäste geglaubt haben, hier könne sich jederzeit das Schlimmste ereignen. Nicht auszudenken, daß aus diesen Grobianen Gourmetköche, Sommeliers, ökologische Metzger und alternative Viehhändler geworden sind. Was würde der Großonkel dazu sagen, der sogar den Wein für weibisch hielt und nur Most und Bier aus der Flasche soff? Einen Teil der Familie muß ich zu den *echten* Analphabeten rechnen. Onkel Herrmännle ist ein *echter* Analphabet – er hat nie richtig Lesen und Schreiben gelernt, weil er damals nicht in die Schule durfte. Er konnte nicht einmal die BADISCHE ZEITUNG lesen und mußte sich das Wichtigste von mir oder sonst einer Person vorlesen lassen, von irgend jemandem, einem Gast, der lesen konnte, zum Beispiel, der zufälligerweise am Stammtisch saß, dem er dann nicht einmal vorschwindelte, daß er gerade die Brille (Brillentragen galt auch als Weibersache) nicht dabei habe. Wenigstens die Überschriften wollte er wissen, die er dann auswendig hersagen konnte, so wie er auch ganze Passagen aus dem Lokalteil memorieren und auswendig hersagen konnte, fehlerfrei! Und rechnen konnte der! War eben ein richtiger Viehhändler. Das Kopfrechnen hatte er sich selbst angeeignet. Ich glaube, daß meine Brüder auch Analphabeten sind, Gelegenheitsanalphabeten: sie haben alle einmal Lesen und Schreiben gelernt und dann wieder vergessen. Zur Schulzeit konnten sie wenigstens noch etwas schreiben, wenn auch nicht rechtschreiben. Einmal habe ich ins Internat eine Postkarte, als Witz gedacht, bekommen, einen einzigen Brief, der aus einem einzigen Satz bestand: *Kanst du ein Sexvilm mitbringen?* Die Speisekarten werden von Grafikern entworfen und geliefert; und doch haben sich immer wieder Fehler eingeschlichen, die von ihnen zu verantworten sind. Aber sie machen sich nichts daraus. Sie stehen drüber. Wer mit einem Stern im Gourmetführer erscheint, muß sich nicht mit Lesen und Schreiben abgeben. Sie setzen sich über die Rechtschreibung hinweg, während das Herrmännle das Zeug gehabt hätte, aber er wurde damals in die Hilfsschule eingewiesen; und daß er da hinging, muß der Urgroßvater verhindert haben, aus gutem Grund. Lesen und Schreiben hätte er da ohnehin nicht gelernt. So blieb das Kind zu Hause und hat von Anfang an im Stall und beim Verladen mitgeholfen. Dennoch, das sage ich jetzt mit Blick auf Henry: obwohl er nicht lesen und schreiben konnte, war das Herrmännle ihm und seinen Monographien haushoch überlegen. Den Eindruck hatte ich wenigstens, als ich die Gespräche der beiden oftmals von der Küche aus, hinter der *Durchreiche* sitzend, belauschte. (Die *Durchreiche:* da wurden die Speisen von der Küche aus ins Gastzimmer durchgereicht.) Das, was Henry sagte, war fein, und das, was das Herrmännle sagte, war grob. Das eine war gut, das andere böse. Aber ich fand, daß das, was Herrmännle sagte, immer stimmte, die Wahrheit war, bis zuletzt, noch seine letzten Bosheiten waren Wahrheiten.

Worüber haben sie sich unterhalten? Das Herrmännle wollte zum Beispiel wissen, ob denn auch die Adresse vom *Rößle* in der Zeitung stehe, als Henry davon berichtet hatte, daß in einer *sehr bedeutenden Zeitung eine hervorragende Kritik* seines neuesten Buches stehe. »Wie heißt sie?« wollte das Herrmännle wissen. – »In der *Frankfurter«*, wie er in unübertrefflicher Arroganz noch bis zuletzt die FAZ genannt hatte. »O ja!« hatte das Herrmännle geantwortet, »ich habe von dieser Zeitung gehört. Dahinter muß ein kluger Kopf stecken.« – »Gewiß«, so Henry.

Wir hatten kein Wohnzimmer und kein Privatleben. Unser Leben spielte sich in der Wirtschaft ab. Der Stammtisch war unsere Sofagarnitur oder stand wenigstens da, wo bei normalen Leuten der Couchtisch mit den Clubsesseln drumherum steht. Es war schöner bei uns: in der Wirtsstube stand damals noch kein Fernseher. Die Gäste brachten das Neueste mit, höchstpersönliche Boten aus der Welt. Es gab eine Musikbox, die im Nebenzimmer aufgestellt war. Einmal habe ich den Schlüssel dazu, den das Herrmännle hat auf dem Tisch liegen lassen, genommen und eine halbe Stunde lang RAMONA gehört, ohne zu bezahlen, wohl über zehn Mal.

Eines Tages hat mir mein frechster Bruder einen riesigen Humpen hingestellt, der mit Bier gefüllt war, weil ich schon vierzehn war und immer noch kein Bier trank. Alle Brüder waren, angestiftet vom Großonkel, der Meinung, das müsse ich nun lernen, eine Einführung ins Biertrinken als unsere Art der Initiation. »Es wird jetzt Zeit, daß er mit dem Biertrinken anfängt!« sagte der Großonkel. Dann haben sie die Wirtschaft abgeschlossen und mir einen Humpen hingestellt.

Beten, in die Kirche gehen und gar beichten und kommunizieren galten zwar auch als Weiberdomäne, einmal im Jahr, in der Karwoche, gingen aber doch alle in die Kirche. Das war am Karsamstag abend. Da knieten Männer auf der Mannsbilderseite und Frauen auf der Weibsbilderseite in der Kirche oder standen, wiederum nach Geschlechtern getrennt, in der jeweiligen Schlange vor dem Beichtstuhl. Und ich gebe es zu, daß es mir schwerfiel, Gott um Verzeihung zu bitten und all die Sünden zusammenzusuchen, die ich im gnädigen Beichtstuhldunkel Wort für Wort aufsagen wollte, einem kommentarlosen Gott, von dem ich bis zum heutigen Tag nicht weiß, ob er mir verziehen hat. Die Frauen geübt, nach Charakter ergeben oder geknickt, selbstsicher oder selbstherrlich, und die Männer verlegen, mit dem Kopf nach unten, jeder zweite wußte mit den Händen nichts anderes zu tun, als sie zu falten. Wurstfinger waren es. Die Tür ging auf und zu. Nach außen drang gar nichts: Beichtgeheimnis. Dann ging die Tür wieder auf, und einer von diesen Männern schlich sich auf seinen Platz, an den Bänken vorbei. Die jüngeren steckten in ihren Kommunionanzügen und in ihrer Sünde, denn es gab nur eine – damals. Anschließend, gereinigt vom Schmutz des ganzen Jahres, wurde dann kommuniziert. Kann sich das einer vorstellen?

Ich war nun schon ziemlich mit Henry verstrickt. Das war von mir ganz unbemerkt geschehen. Aber irgendwann wußte ich, daß nur noch sein oder mein Tod einen

Schlußstrich gezogen hätte. An den guten Tagen machte es sogar Spaß, mit ihm nach Waldshut-Tiengen zu fahren, das von fast allen Seiten aus gedacht hinter dem Hotzenwald lag. Er sagte bald, ich sei der beste Chauffeur der Welt und lobte meine weitere Heimat beim Durchfahren als besonders ansprechend, beruhigender als das schrille Alpengebirge. Meiner Mutter und sogar meinen Brüdern machte er abwechselnd wohldosierte Komplimente, so daß sie bald fragten, wann wir wiederkämen. Sogar zum Großonkel setzte er sich, trank einen Spätburgunder aus dem Römer, und sie sprachen von den alten Zeiten, sagte mir Henry später, als wir zurückfuhren.

So hat Henry manches Weihnachtsfest bei uns verbracht. Natürlich ging es ihm vor allem ums Essen, um unsere Fleischtafel im *Rößle.* Aber wenn er gegessen hatte, überfiel ihn, besonders zu Weihnachten, die Rührung, wie mich auch. Ärgerlich war nur, und auch unmöglich, daß wir am Heiligen Abend um neun Uhr abends Händchen halten und an unsere Lieben in aller Welt denken sollten, ein Brauch von Hamburg her, den er nun bei uns einführen wollte, aber damit konnte er sich bei uns nicht durchsetzen. Und wie es in Blankenese am Heiligen Abend war, wollten wir auch nicht wissen. Und doch: immer wieder hat er einen Anlauf genommen, uns mit Weihnachten in Blankenese zu kommen. Und vom Vorlesen des Weihnachtsevangeliums aus der Bibel wollten wir schon gar nichts wissen. Da waren wir alle, außer Mutter, schon ziemlich betrunken und warteten nur noch auf ein Zeichen zum Streit. Jedes Weihnachten war es so: ein Widerwort genügte, und das Fest fiel in sich zusammen. Dann zog sich Henry zurück und sagte, er sei müde, oder sagte, er habe *Migräne.* Trotzdem ist er gerne zu uns gekommen.

Gerne erzählte er von seinen Freunden, daß er in der Villa Hammerschmidt ein und aus gehe, daß er mit Ida

Chagall *per du* sei und daß er schon als Kind auf dem Schoß von Zeppelin gesessen habe. Einmal hat er sogar sein Gästebuch mitgebracht und wollte es mit uns am Heiligen Abend durchgehen. Aber das interessierte nur mich und nur insofern, als ich es später einmal versilbern wollte und wissen mußte, wer sich da aller eingetragen hatte. Neben dem sogenannten guten Werk (daß dies, Henry zu Weihnachten hier zu haben, ein gutes Werk sei, hatte sich vor allem unsere Mutter eingeredet) war es vor allem die sogenannte Schützenhilfe, die mir meine Familie nun doch zu leisten gedachte. Ich hatte ihnen gesagt, daß mich Henry an seinem siebzigsten Geburtstag als Universalerben vorgestellt habe, und sie wollten wissen, wo das Testament liege, und ermahnten mich wiederholt, es doch auf seine Gültigkeit hin von unserem Anwalt überprüfen zu lassen.

Auch ich konnte bald im *Rößle* erzählen, daß ich mit einem Botschafter *per du* sei. Damals (noch bis zu meinem dreißigsten Lebensjahr) mußte ich aufpassen, daß mich mein Mitleid nicht zu merkwürdigen Aktionen trieb: mich rührte schon ein Bericht im Fernsehen, der zu Weihnachten ausgestrahlt worden war, über ein afrikanisches Dorf, in dem schon junge Menschen ohne Zähne herumliefen, weil der Zahnarzt gefehlt hatte. Wenn die Menschen auch nichts von mir wissen wollten, so doch ich von ihnen, auch von denen in Obervolta. Ich dachte auch, daß ich dort eher ankäme, akzeptiert würde als hier. Ich hoffte darauf, daß sie nicht merkten, wie klein ich war, weil dies dort, wie ich glaubte, nicht als Makel galt und weil, wie ich mir vorstellte, die europäische Statistik (Durchschnitt männlicher Erwachsener 1,75) dort unmöglich bekannt sein konnte. Auf den Triumph der Freundschaft und Menschenliebe vor Ort, den ich mir bei einer Reise dorthin erhoffte, mußte ich vorerst verzichten. Zunächst ging es darum, den Aufruf des Fernsehmagazins umzusetzen und eine ausgediente Zahnarztpraxis aufzutreiben. Und auch das Geld für den Transport. Mit Zähnen hatte ich schon Erfahrung. Ich kam nun auf die Idee, im Bekanntenkreis zu Zahngoldspenden aufzurufen. Ich wußte, man konnte, hatte man einen anständigen Zahnarzt, die alte Krone einschicken, ein gefütterter Umschlag und der Absender genügte. Nach geraumer Zeit kam ein Verrechnungsscheck, um dessen Summe ich einmal essen gehen konnte. Einmal habe ich eine Goldkrone verschluckt, die war verloren. Ich machte mir nicht die Mühe, sie wiederzufinden. Ich konnte, ganz abgesehen davon, daß ich dies auch gar nicht gewollt hätte, später auch niemals auf den Balkan fahren, es hätte dort scheinen müssen, daß ich mein Geld in Goldzähnen angelegt habe. Tatsächlich war es so, daß mein guter Zahnarzt, um Geld zu sparen, bei der ersten Totalsanierung für Gold plädiert hatte. Von Goldzähnen glaubte ich schon etwas zu verstehen. Nun fragte ich Verwandte und Bekannte, von denen ich wußte, daß die Brücken würden ausgewechselt werden müssen, daß gar eine Generalsanierung anstand, ob sie mir nicht ihre alten Zähne geben könnten. Auch Bettelbriefe habe ich verschickt, *fundraising* für eine Zahnstation in Guinea-Bissau. Mir grauste vor nichts, aber es kam nicht genug zusammen: Die Leute schickten mir ihre Zähne einfach nicht. Lediglich Frau Dr. Schweinfurth, eine Verwandte in Meßkirch (übrigens Enkelin des berühmten Afrikaforschers Georg Schweinfurth), konnte ich dazu bewegen, ihre Praxis für Afrika zu stiften. Allein – es scheiterte an den Transportkosten von Meßkirch nach Afrika und auch an Afrika selbst: Man schrieb mir, daß man eine derart alte Praxis gar nicht haben wolle. Es gebe überdies keinen Strom. Alles, was ich erreichte, war, daß ich schließlich doch ein paar Goldkronen zusammenbekommen habe, die irgendwo bei mir herumliegen, denn ich habe sie bis zum heutigen Tag nicht eingeschickt.

Das *Rößle* lag *vor den Toren* von Waldshut, strategisch äußerst günstig an der Stelle, wo sich die alte Landstraße mit der von Stühlingen und Schaffhausen herkommenden und zur Rheinbrücke nach Koblenz (CH) führenden Straße traf. An einer Stelle also, wo schon Kelten und Römer, Germanen und andere Nomaden vorbeigekommen waren. Das Herrmännle behauptet, Attila habe hier einmal sein Winterlager aufgeschlagen, bevor es wieder auf Beutezug in die Champagne ging. Eine ideale Verladestation, wo in meinen Zeiten bis zum Rhein hin die Lastwagen standen und man das zusammengepferchte Vieh bis nach Waldshut hinein schreien hören konnte. Die Fahrer, unterwegs vom Balkan in die Normandie, hatten sich in der Wirtschaft fast ohnmächtig gesoffen, hatten sich vorher gerade noch ins Führerhaus schleppen können oder wurden dorthin geschleppt und hatten ganz vergessen, ihre Ladung zu versorgen! Am anderen Tag lag dann wahrscheinlich oftmals ein Tier schon ganz blau und rot und tot am Boden des Transporters: Herzinfarkt oder verdurstet, was aber erst am Ziel der Reise bemerkt wurde. Mir hat immer vor dem Balkan und den Männern mit den goldenen Zähnen gegraut; umso schlimmer, daß ich im *Rößle* manchmal von einem von ihnen in einer Sprache angesprochen wurde, die ich nicht verstand, also von ihnen als ihresgleichen gesehen... Daß es auf dem Rößlegelände auch nicht anders zuging, wird aus der Distanz klar. Die Grausamkeit war etwas ganz Natürliches. Sie gehörte zum Leben. Sie war das unterscheidende Merkmal zum Tierreich, unser kleinster gemeinsamer Nenner, das, was das *Rößle,* was uns mit Waldshut und der Welt verband.

So erinnere ich den Winter, denn der Winter war eine Zeit, in der überall Mausfallen aufgestellt waren. Die Brüder jagten mit Messern nach den kleinen Tieren, wenn sie sich verirrt hatten, die Wand entlangliefen und ihr Loch nicht fanden. Unser Onkel hatte für einen Mausschwanz eine Prämie von zehn Pfennig ausgesetzt. Dafür konnte man sich einen *Schlotzer* kaufen.

Was doch alles um so einen Tod herum angesiedelt ist! Das nächste Gehöft war etwa fünfhundert Meter entfernt. Der Nachbar, schon fast ein Einsiedler, hat im *Rößle* nicht viel gegolten. An den Samstagen, auf die ein Fest folgte, stand dieser Nachbar, auf den wir als Hasenstallexistenz herunterschauten, zwischen seinen Hasenställen und überlegte sich wohl, welchem Exemplar er hinter die Löffel hauen sollte. Dann schlug er mit einem Hartholzstecken von hinten auf das Tier ein, zog ihm das Fell ab, und wir wollten zusehen von Anfang an; die Neugier trieb uns hinüber, hören wollten wir, ob es ein Geschrei gab; und wie es unter dem Fell aussah und was sich dahinter zeigte, wie er das stattliche Exemplar in Weiß-Rosa aufschnitt und ausnahm, wollten wir sehen. Mir gefielen auch die Kleinen, die schon ein Fell hatten und am Draht schnupperten.

Am Sonntag spielten meine Brüder von siebzehn, achtzehn Jahren im Obstgarten mit dem Luftgewehr, um zu sehen, ob sie trafen, und schossen die Vögel von den Bäumen, Drosseln, die wie Steine herunterfielen und, ganz weich im Gefieder, nun sinnlos herumlagen, denn eine Katze rührt Totes nicht an. Strolchi kam und brachte die Beute, die auf dem Misthaufen landete, noch lange nicht kalt. Das war am Sonntagnachmittag. Das Jahr eines Kindes: In die Schnecken gehen, in die Frösche gehen, die Ausbeute in der Küche abliefern, für die Schnecken zwanzig, für die Frösche fünfzig Pfennig. Im Frühjahr mit den Wühlmausfallen auf den Rheinwiesen herum... Pro Wühlmausschwanz gab es im Rathaus zwar nur fünf Pfennig, doch andere Kinder schnitten ihrer Katze den Schwanz ab, ohne daß sie etwas dafür bekommen hätten, einfach so. Ich habe meine Ameisen in kleinen, durchsichtigen Reißnagelschachtelsärgen feierlich hinter dem Haus begraben und nach drei Tagen geschaut, ob sie noch lebten – oder darauf vergessen.

An unserer Hubertusjagd nahm ich als kleinster der Treiber teil. Ich habe das Prinzip der Treibjagd früh verstanden: in einer Phalanx aus Geschrei trieben wir alles, was vier Beine hatte, den Jägern entgegen, die am anderen Ende des Wäldchens warteten. Nachher wurden die Hasen, es waren vor allem Hasen, feierlich aufgereiht, und der Oberjäger hat ein Gebet gesprochen, in dem der Herrgott vorkam. Der Herrgott muß eine Jagdgottheit gewesen sein. Und dann ging's prozessionsartig hinter dem mit Tannenzweigen ausgelegten Bühnenwagen her, ins *Rößle* zurück auf dem Grünen-Plan-Weg, der neben der Bundesstraße verlief, es wurde dazu gesungen, und die Beute hing – mit Eichenlaub im Maul – mit dem Kopf nach unten. Im Hof des *Rößle* wurde abgeblasen. Was für schöne dritte November, heiliger Hubertus! Der Stierkampf und die Treibjagd sind zwar vom Vatikan verboten, und ein Geistlicher darf an einer solchen Veranstaltung nicht teilnehmen, aber unserer war doch dabei und segnete zum Abschluß ununterscheidbar alles, Jäger und Beute, Treiber und Jagd.

Ich erinnere andere Höhepunkte außer der Jahresreihe, so zum Beispiel den Nachbarn, der einen Kilometer flußaufwärts Richtung Schaffhausen seine Kühe geschlagen hat, weil sie nicht genug Milch gaben, und man konnte damals, als es abends und morgens noch ruhig war an der Bundesstraße, die Schläge, das Geschrei von Nachbar und Kuh hören, und alles kam etwas zeitversetzt herüber, wie ein Echo, wenn der Wind von Osten kam. Derselbe Nachbar hat sich einmal ein Stück seines kleinen Fingers abgeschnitten, das zur Belohnung Strolchi bekam.

Oder den Tag, als eine Balkanratte sich vom Viehwagen herunter zu uns ins Haus geflüchtet hat, bis in den zweiten Stock, und dann von unserem Oberjäger unter dem elterlichen Ehebett erschossen wurde. Es war nur ein Luftgewehr. Die Frauen schrien auf, als der Mann mit dem Untier von oben herunterkam. Alle haben sich dann am Misthaufen aufgestellt, um zu sehen, was er da erlegt hatte. Unser ganzer Haß, der in Friedenszeiten möglich war, hat sich gegen dieses gräßliche Lebewesen gewendet.

Das Jahr über aber die kleineren Ereignisse, die ekelhaften Schnecken, die mit der Baumschere zweigeteilt und dann an die Schweine verfüttert wurden. Im Sommer erinnere ich die lästigen Eintagsfliegen, die an den Fliegenfängern hängenblieben und über dem Stammtisch hingen.

Meine Kindheit fiel zusammen mit Benno, unserem Hofhund, der mir mein Wiegenlied bellte, in die Nacht hinein, fiel zusammen mit der Kette, die ich noch höre, wie sie am Boden entlangschleift.

Als Kinder stritten wir uns darüber, ob es beim Zahnarzt oben oder unten mehr weh tut und ob es überhaupt oben oder unten, vorne oder hinten mehr weh tut. Wir sind nicht dahintergekommen. Die Zeit wurde mit Spielen und Streiten vertan. Schon sehr früh auch mit Träumen und Langeweile. Als ich noch gar nicht richtig sprechen konnte, soll ich auf die Frage: »Was machst du den ganzen Tag?« geantwortet haben: »Nichts«. Als mich die Mannheimer Tante, die bei uns in den Ferien war, fragte, was ich denn werden wolle, soll ich gesagt haben: »Nichts!«, worüber nicht nur die Tante erschrocken war, sondern auch meine Mutter. Ich habe die Frage der Tante wohl nicht ganz verstanden, doch das ist die erste richtige Antwort, die von mir überliefert ist. Es hieß bald: »Er träumt. Er ist ein Träumer.« Das Leben sollte doch erst beginnen. Ich stand doch vor dem Leben, und in wenigen Tagen würde ich als Erstkläßler in der hintersten Reihe sitzen.

Was wollte ich werden? Was ist aus mir geworden? Ich fürchte, daß meine Unschlüssigkeit und das Verhängnis meiner äußeren Erscheinungsform von der Frage, was das Richtige wäre, weggeführt haben. So bin ich vieles geworden, dieses und jenes. Als ich dann Henry näher kennenlernte und über ihn auch noch den Botschafter, der mir bald eine monatliche Apanage zukommen ließ, warum, weiß ich nicht (er hat eines Tages nach meiner Kontonummer gefragt und dann bis zu seinem Tod jeden Monat einen Betrag überwiesen, den ich hier nicht verraten möchte. Es war aber so viel, daß es für das tägliche Leben, knapp kalkuliert, gereicht hätte), war diese Frage wieder einmal zurückgestellt. Dazu kam Henrys Satz FÜR DICH IST GESORGT, der mich zur Hoffnung und zum abwartenden Lebensstil verführte, zu einer Oblomov- oder Gelegenheitsexistenz. Ich habe ja schon früh einiges versucht und gemacht, zum Beispiel Sternsinger, Astrologe, Berufsberater, Erntehelfer, Babysitter, Model für Untergrößen. Einiges davon nur theoretisch, so Berufsberater oder Astrologe. Früher, als ich Henry noch gar nicht richtig kannte, hatte ich durchaus den Willen, die Welt zu verbessern oder dort, wo sie im argen lag, einzugreifen, ob nun als Entwicklungshelfer, Missionar, ob bei Greenpeace, Amnesty International, aber nirgendwo konnte man mich gebrauchen. Einmal hieß es, ich sei zu jung, ein anderes Mal war ich wieder zu alt. Dann kam ich wegen gesundheitlicher Bedenken nicht in Frage. Schließlich hieß es, ich sei *dem ganzen psychisch nicht gewachsen.* Oder ich fiel wegen meiner Größe durch, so bei meiner Bewerbung als Steward für die Lufthansa. Daß dies alles Ausreden waren, weiß ich auch. Denn schließlich hat man mich auch als *Nikolaus* akzeptiert. Zwar hat mich die Mitra dabei etwas gestreckt – und auch die Bertullischuhe nach dem nicht ganz billigen Bertullisystem, für die in jeder guten Illustrierten im Anzeigenteil geworben wird, machten mich bei meinen Auftritten um gute zehn Zentimeter größer. Dieses Hilfsmittel hätte ich doch auch als Steward bei der Lufthansa einsetzen können! Nicht einmal bei der Bundeswehr wollte man mich haben, und ich argwöhne, gleich aus einem ganzen Ensemble von Gründen nicht. Offiziell wurde mir nur mitgeteilt, daß ich wegen eines Verdachts auf Bettnässerei *vorerst zurückgestellt* sei. Das mußte eine Verwechslung sein. Die Beschreibung meiner Musterung, das wäre ein Buch für sich. Vielleicht kann ich das noch einmal ausschlachten.

Wenn ich über die Menschen nachzudenken versuche, darüber, was sie mit mir gemacht haben, so komme ich immer wieder darauf, daß sie mich ausgegrenzt und sich abgegrenzt haben. Vom Militärdienst war ich freigestellt: gut, auch wenn mich die Begründung kränkte. Doch mein Antrag auf Kriegsdienstverweigerung – heimlich! das *Rößle!* – (zu allem kam hinzu, daß ich Pazifist war und bin, auch wenn ich dies nicht recht begründen kann), wurde abgeschmettert. Es war, als hätte ich ein Sakrileg begangen. Im Absagebrief des *Kreiswehrersatzamtes* las ich Wörter, die mich meinten, wie: *nicht vorgesehen, Mängel, zurückgestellt, Wuchs, allgemeines Erscheinungsbild.* Daß der Staat nichts wissen wollte von mir, damit konnte ich leben. Ich wollte auch nichts von ihm wissen.

Damals glaubte ich immer noch an Gott, die Welt und die Menschen. Die Höhe war nun, daß diese drei anscheinend auch nichts von mir wissen wollten. Denn als ich mich nun zu einem sogenannten *freiwilligen sozialen Jahr* meldete, wie das auch die Mädchen machten, wenn auch nur ganz selten, erfuhr ich, daß man mich auch da nicht wollte. Ich stellte mich beim Roten Kreuz vor. Ich hätte vielleicht lieber erst anrufen oder schreiben sollen. Man sagte mir ins Gesicht, daß ich im Augenblick nicht in Frage käme. Ich sei zu leicht gebaut für die schwere Arbeit, die auch psychisch einiges abverlange. Ich solle mich doch später noch einmal melden, schrieben sie mir, in der Hoffnung, daß ich mich nie wieder melden würde. Doch so einfach ließ ich mich nie abwimmeln. Ich meldete mich später also wieder und erfuhr dieses Mal, daß ich in bezug auf meine Körpergröße zu schwer sei für diese nicht leichte Aufgabe. Damit ist dieses Kapitel zu Ende. Ich war wohl keine charismatische Erscheinung.

Ich war wohl keine charismatische Erscheinung

Ich – wie kann man zwanzig Jahre später noch *ich* sagen? – wohnte damals in der Jakob-Burckhardt-Straße in einem Zimmer unter dem Dach: in meinem ersten Semester als Student der Rechtswissenschaft, wie dies von zu Hause gewünscht worden war. Es war schön, allein zu sein. Zum ersten Mal in meinem Leben konnte ich nun liegen bleiben, so lange ich wollte. Im Internat und auch zu Hause war ich immer geweckt worden, einbezogen in die *vita activa* einer Viehverladestation und einer Wirtschaft, nun *Landgasthof Rößle im Erlebnispark Hotzenwald.* Damals vor allem Verladestelle für den Vieh- und Schweineauftrieb des ganzen Hochrheins, Mittelpunkt unseres Imperiums. Nicht einmal in den Ferien konnte ich ausschlafen, ständig wurde ich zu einer kleinen, meiner Erscheinung angemessenen Hilfsarbeit gerufen. Die subalternen Dienste, das Suchen und Herbeibringen des *Elektrisierers* etwa, mit dem die widerspenstigen Exemplare auf den Wagen getrieben wurden, der von uns aus in einen der näheren oder ferneren EG-Schlachthöfe fuhr, oder die Beaufsichtigung und das Nachzählen der zur Verladung aussortierten Ferkel, konnten einem wie mir ganz schön zusetzen, wie man sagt, schon meiner angeborenen Tierliebe wegen. Dazu kam das Geschrei der Viehhändler, meiner Brüder und selbst meines Großonkels, der wohl sah, daß sich in mir eine Wiederholung seines Falles anbahnte. Er hätte eigentlich das Viehhändler-, Landhandel- und Gasthofmetzgerei-Imperium übernehmen sollen, wurde aber vom Familienrat wegen seines unzureichenden Erscheinungsbildes aussortiert, auch, weil sich keine Frau fand, die ihn genommen hätte. Unser Anwesen kam weder für ihn noch für mich in Frage. Es gehörte ja vor allem das gewinnbringende *Rößle* mit seiner Buntsandsteinfassade, seiner Freitreppe und seinem denkmalgeschützten Gewölbekeller dazu. Das alles hatten sich meine Vorfahren aus dem Viehhandel erwirtschaftet. Erst um 1900 kam, nach der Konversion meines Urgroßvaters Isidor zum katholischen Bekenntnis, der Schweinehandel hinzu. Durch die Vermählung mit der sogenannten Bürgerstochter Amalie Restle, meiner Großmutter, kam in Gestalt des Johann Mutz, Bürger der Gemeinde Affeltrangen im Thurgau, noch einmal eine beträchtliche Aufstockung der sogenannten Mittel hinzu. Wir konnten es also durchaus, denke ich heute, mit Henrys Familie aufnehmen, mit irgendwelchen Hanseaten, die im Guano-Handel groß geworden waren und deren Stammbaum schon Mitte des 19. Jahrhunderts nach oben hin versiegt. Als ich den Botschafter einmal fragte, wie eigentlich Henrys Familie *groß geworden* sei (daß sie schon um 1900 eine der größten waren, wußte ich wohl), sagte dieser nur: *mit Scheiße.* Freilich war er etwas angetrunken, als er zu diesem Wort griff. Aber da es sich bei Guano um Scheiße, wenn auch Vogelscheiße, handelt, hatte der Botschafter durchaus recht.

Obwohl ich der Erstgeborene war, kam ich als Erbe doch nicht in Frage. Ich war eben zu klein geraten, redete man sich zu Hause heraus. Ich komme gar nicht für das Verladen von Großvieh und nicht einmal für das von Schweinen in Frage, und auch nicht für das Auftreten als Gastwirt, da ich *nichts vorstellte.* Heute ist alles unter meinen Brüdern aufgeteilt. Der eine ist – alles in unserem Haus! – Sommelier geworden, einer Diätkoch, einer für die Patisserie zuständig, ein weiterer leitet den nach dem ökologischen Prinzip arbeitenden Viehhandel und die angeschlossene Bio-Metzgerei. Nur mich hat man ausgeschaltet, indem man mich abschob. Da man zu Hause sah, daß ich für eine Aufgabe, die einen gestandenen Mann erforderte, nicht in Frage komme, andererseits auch sah, daß ich gerne ein Buch in die Hand nahm und darin blätterte, beschloß der Viehhändler-Großvater eine Notlösung. Ich sollte nicht *auf Priester,* worum meine Mutter noch zu Internatszeiten vergeblich gebetet hatte, studieren, sondern *auf Anwalt.* Anwalt! Ach, die wollten doch nur für die immer schon laufenden und noch zu erwartenden Rechtshändel einen haben. Das Studium sollte als mein Erbteil gelten, und so wurde es dann auch gemacht. Das Wort *Jura* hörte sich gut an. Ich hatte nun für eine geraume Zeit ein wohlklingendes Wort, mit dem ich mich erklären konnte. *Er darf studieren!* hieß der mich enterbende Satz. Eine entsprechende Verzichterklärung, die bis heute gilt, habe ich unterschrieben. Ich kann nur noch den sogenannten Pflichtteil einfordern. Aber es wird sich herausstellen, wie ich fürchte, daß das ganze Vermögen in den sogenannten Betrieben gebunden und nichts mehr da sein wird. Ich habe auch Angst, daß sie irgendwann Pleite machen, großspurig, wie sie sich nun aufführen.

Gelesen habe ich, das ist wahr. Aber es war eben eine Notlösung. Vielleicht hätte ich lieber gelebt. Von Anfang an war ich ein Träumer, dem der Handel, auch der Viehhandel, das Handeln überhaupt versagt blieb.

Die Alternative wäre Herrmännles Leben gewesen. Er striegelte sein Leben lang in irgendwelchen Nebengebäuden das Vieh für die Versteigerungen, er kämmte und wusch die Schwänze von Kühen, Pferden und Schweinen mit lauwarmem Wasser. Und falls sie zum Schlachten verkauft wurden, pumpte er sie vor dem Wiegen mit Magermilch und Kartoffeln voll, damit sie mehr Gewicht auf die Waage brachten. Ich kannte diese Arbeit, sie war auch nichts für mich. Ich hatte meinem

Großonkel, der durch die Marginalisierung im Laufe seines Lebens immer weiser, aber auch unflätiger und zusammenhangsloser geworden war, in den Ferien manches Mal assistiert.

Ich bin nicht der einzige, der heute, oberflächlich gesehen, eine komische Figur abgibt; wenn ich meinen Bruder als Sommelier agieren sehe oder den anderen mit dem Goldenen Kochlöffel am Revers, alle die Rotary-Existenzen vom Fuße des Hotzenwaldes, frage ich mich: Sind das nicht Witzfiguren, gemessen an dem, was sie sind, waren und sein werden, Witzfiguren wie ich auch, aber aus anderen Gründen und in einer anderen Erscheinungsform, stattliche Witzfiguren sozusagen? *Witzfigur* ist ein trauriges Wort in meiner Sprache. Zu meinen Zeiten wurden die sogenannten Hotelschweine, also jene Exemplare, die im kleinen Stall gleich hinter der Küche mit den Abfällen, die im *Rößle* anfielen, gefüttert wurden, noch an den Ohren durch die Küche und den Wirtschaftsflur auf den Wagen getrieben. Das war wohl noch vor der Einrichtung der Gesundheitspolizei. Heute dirigiert jener Bruder, der den Handel übernommen hat, per Video-Überwachung die Verladeprozedur. Und in seinem Schlafzimmer steht ebenfalls eine Video-Überwachungsanlage mit zehn Monitoren, auf denen er verfolgen kann, was nachts in den Ställen vorgeht. Kommt es zu einem Zwischenfall, ertönt das Notsignal, und die rote Lampe leuchtet auf. Wie Angelica, seine Frau aus Brasilien, die er über den Katalog bestellt hat, darüber denkt, weiß ich nicht. Die anderen Brüder mußten ihre Frauen übrigens auch über den Katalog bestellen, weil sich nicht einmal im Hotzenwald eine Braut fand.

In Freiburg war ich nun wie in der Fremde. Bis zum heutigen Tag habe ich mich nicht eingelebt in Freiburg. Kein einziges Mal haben mich meine Verwandten da besucht, bis zum heutigen Tag nicht. Vielleicht trauten sie sich einfach nicht. Ich habe ja auch nie gesagt, daß sie zu mir kommen sollen, heute ist es dafür vielleicht zu spät. Am Jurastudium hatte ich von Anfang an überhaupt kein Interesse, über das Wort hinaus fand ich nichts daran anziehend. Bald war mir klar, daß ich gar nicht daran denken wollte, auf diesem Feld mein weiteres Leben – und dazu die Prozesse meiner streitsüchtigen Viehhändlerverwandtschaft – zu bestreiten. Die Vorlesungen bei den Professoren Wolf und Kaiser, von denen ich gehört hatte, daß sie bedeutende Figuren seien, waren für mich doch nur Leerlauf. Nicht einmal *einem* Menschen bin ich im Verlauf dieser Vorlesungen nähergekommen. Ich sah nur, wie überlegen sie waren. Über törichte Fragen, nach Vorlesungsmitschriften etwa oder nach einem Tempotaschentuch, versuchte ich, ihnen am Rande der Vorlesungen näherzukommen. Umsonst. Allein des Geldes vom Hochrhein wegen blieb ich zunächst weiter eingeschrieben.

Zum Semesterbeginn schickte ich jeweils eine Immatrikulationsbescheinigung nach Hause. Die konnten wahrscheinlich gar nichts damit anfangen, haben sie aber aufgehoben und vielleicht auch am Stammtisch herumgereicht. Trotzdem ging dieses Leben geraume Zeit gut, bis ich eines Tages in einer Großaufnahme im SÜDKURIER als Anführer einer sogenannten Demonstration im Palästinenserschal zu erkennen war. Ich war zwar gar nicht der Anführer, aber für den SÜDKURIER eignete sich mein Bild als Motiv wohl besonders: schön und klein, mutig und schwach, David gegen Goliath. Das war in einer Zeit, als es eigentlich gar keine Demonstrationen mehr gab. In einer linken Gruppierung, die damals schon längst auf dem absteigenden Ast war, habe ich für eine Zeit Anschluß gefunden. Sie waren dankbar, daß ich zu ihnen kam. Vielleicht das einzige Mal in meinem Leben hatte ich den Eindruck, daß jemand froh war, daß es mich gab. Zu Hause aber wurde ich wegen dieses Fotos zur Rede gestellt. Ich mußte schließlich zugeben, daß ich es war. Sie schämten sich alle, selbst der Stammtisch schämte sich mit, da ich ja einer von ihnen war. Ich wurde als Kommunist beschimpft, als ich das nächste Mal nach Hause kam, aber auch ausgelacht. Nur meine Mutter war auch etwas stolz, daß ich in der Zeitung abgebildet war, und sagte: *Ein schönes Bild.* Sie glaubte immer noch, daß ich noch etwas wachsen würde. Man wollte die kleine Apanage streichen, was sie verhinderte. Die Summe wurde daher nur halbiert. Es wurde nun allerdings recht knapp, von da setzte die Geschichte meiner diversen Nebenbeschäftigungen ein, in diesem Zusammenhang ein näheres Eingehen auf Onkel Henry. Da ich nun in finanzieller Hinsicht vom Hotzenwald ziemlich frei war, konnte ich den sogenannten Angehörigen auch gleich noch sagen, daß ich das Studium an den Nagel gehängt hatte. Ignoranten meines Lebens! Am Stammtisch war ich schon in meinen allerersten Ferien vom Internat weg gefragt worden, ob ich jetzt perfekt Lateinisch sprechen könne. Daß ich das Recht aufgegeben hatte, blieb weiter folgenlos, wenn ich meine Ratlosigkeit abziehe.

In diese Zeit fällt meine Begegnung mit Onkel Henry – kann ich von ihr sagen, daß sie mein Leben nicht verändert hat? Zum Glück? Oder nicht? Freilich wären wir *irgendwie* verwandt, über Affeltrangen. So erklärte ich später zu Hause, aber auch der Welt unsere Beziehung. Da haben sich damals unsere Wege getrennt. Die einen gingen in den Waldshuter Raum, die anderen ins Norddeutsche. Hier der Vieh-, dort der Guanohandel. So erklärten wir uns. Gewiß schaute Henry von Anfang an auf mich auch etwas herunter. Bisher hatte ich es nicht recht geschafft, Anschluß zu finden, wenn ich von den Leuten in der Gruppe absehe. Auch Henry hatte schon einiges aufgeben müssen, war aber immer noch in jener Gesellschaft, die ich suchte, obwohl ich ihr gar nicht gewachsen war. Henry sagte bald, daß er sich um mich kümmern wolle. Ich weiß noch genau, wie er ein erstes Mal *Für dich ist gesorgt!* sagte. Vielleicht war es nur Leichtsinn, gar nicht recht durchdacht, aber immerhin: ich habe es ernst genommen. Auch wollte er mich *in die besten Familien,* wie er sagte, *einführen.* Auch für meine Weiterbildung, die *noch im argen* liege, wie er meinte, wolle er *aufkommen.* Auch sagte er, daß es *mit dem Deutschen noch hapere* bei mir, erklärte dies bald als Hauptgrund aller meiner Schwierigkeiten im Leben, von denen ich ihm erzählt hatte. *Das kriegen wir schon hin!* Er meinte damit, daß er mittels Sprachübungen meinen *doch sehr störenden Schweizer Akzent wegbekommen* würde. Ich dachte nicht daran, seinen hanseatischen Singsang zu übernehmen, auch wenn ich mich auf die Sprachübungen einließ. Onkel Henry ist immer auch eine Respektsperson für mich geblieben, die mit dem Gourmetlöffel zu hantieren verstand. Ich erinnere mich an unsere erste Begegnung in Freiburg, ich sollte ihn im Bahnhofslokal abholen. Er war immer pünktlich, kam nie zu spät, aber auch nie zu früh, *was für die Hausfrau genauso unangenehm sein kann,* meinte er. Kaum daß wir uns über unsere Verwandtschaft im Hotzenwald, in der Schweiz und Hamburg ausgetauscht hatten, griff er nach seinem Reise- oder Taschen-Fotoalbum und zeigte mir die Verwandten. Bald ließ er auch das erste Mal den Namen *Heidegger* fallen, und die entsprechenden Fotos wurden mir gezeigt. Damals war Henry noch ziemlich dick. Die rosarote Gesichtsfarbe, die allerdings schon nach einem Viertel Wein ins Blaurote changieren konnte, und sein Volumen machten ihn zu einer einnehmenden Erscheinung, die mich schon bei der ersten richtigen Begegnung an das Rom der

Caesaren erinnerte und daran, was Caesar von den Dicken gesagt hatte. Henry kam gerade aus Hamburg zurück, wo er wegen seines Familiengrabes einen Termin hatte. Diese Termine nahm er bis zuletzt immer sehr ernst. Er lebte ansonsten am Stadtrand von Freiburg, wo er allerdings im Vergleich zu Hamburg nun in einem kleineren Haus wohnte. Es war aber immer noch so groß, daß er *empfangen* konnte. Dorthin begleitete ich ihn, auch des Koffers wegen. Henry behauptete, daß er auch bei Heidegger den Akzent (er sprach dieses Wort französisch aus) weggebracht habe, und daß er, Heidegger, eine Freude an mir gehabt hätte. Wer weiß – bei den wenigen Begegnungen mit der Philosophenfamilie hat mich Henry nicht einmal richtig vorgestellt. Der Heideggersohn etwa meinte, ich sei der Wirt. Einmal hat er mich auch gefragt, ob ich der Wirt sei, worauf ich nur *nein* sagte, von dieser einfachen Verneinung her konnte er aber beim besten Willen nicht wissen, wer ich tatsächlich war. Den siebzigsten Geburtstag hat der Philosoph nicht mehr erlebt. Wahrscheinlich hätte er eine kleine Tischrede gehalten, obwohl er sein Leben lang kein Wort zuviel sagte. Heidegger soll sehr taktvoll gewesen sein. Als mich Henry das erste Mal nach Baden-Baden mitnahm, gab er mich noch als seinen Chauffeur aus. Immerhin: der Geburtstag eines Rilke-Enkels im Internationalen Reitclub in Baden-Baden, es war die höhere gesellschaftliche Weihe. Die Wochen vorher ließ er mich dreimal in der Woche antanzen, um die Kleiderordnung, Benimmfragen etc. *durchzugehen.* Selbstverständlich auch, um *meiner Sprache den letzten Schliff zu geben.* Henry verstand sich lebenslänglich auch als Missionar in bezug auf *Benimmfragen* und auch als Botschafter der reinen Sprache, wie er glaubte: er wollte die Süddeutschen von ihrer Sprache befreien, mir zum Beispiel seinen norddeutschen Akzent aufzwingen, er trug mir Hölderlin vor; und zwar nicht so, wie Hölderlin – wahrscheinlich – seine Sachen vorgetragen hätte, sondern etwa so, wie man sich das in Hamburg-Blankenese vorstellte. Gut, ich war nie ein souveräner Mensch, sonst hätte ich Henry mit seinem angeblichen Bildungsprogramm schon in die Schranken gewiesen.

Zunächst hatte ich geglaubt, daß ich Henry von der Verwandtschaft fernhalten müßte. Sie wußten von ihm, gewiß. Aber gesehen hatten sie ihn noch nicht. Als ich ihn eines Samstagmorgens in seinem Haus auf der Südseite des Lorettoberges abholte, überkam mich doch ein definitiver Zweifel. Schon in der Nacht zuvor hatte ich nicht recht geschlafen, war wohl von Alpträumen geplagt, die ich vergessen habe. Es war für den Fahrer, unabhängig vom Fahrzeugtyp und von seinem Charakter, nie ganz einfach, mit Henry zu verreisen, ihn zunächst einmal zu verladen. Auch im Sommer ging er nie ohne Mantel aus. Prinzipiell setzte er sich, wie ihm das zu Hause beigebracht worden war, nur in den Fond des Wagens. Das war die erste Hürde, denn ich fuhr immer nur zweitürige Modelle, keineswegs sogenannte Sportwagen, sondern einen VW-Käfer, Opel-Kadett, Ford-Escort. Kaum waren wir abgefahren, meinte Onkel: »Es wird doch sehr heiß. Ich glaube, ich muß den Mantel ablegen.« Er verlangte, daß ich sofort anhalten solle. Ich schaffte es doch bis zum nächsten Parkplatz, wo dann die Ausziehprozedur vonstatten ging. Wir fuhren weiter, er lobte die Landschaft und gab sich als Philosoph: »Seltsame Tiere: Schafe, den ganzen Tag mit dem Kopf nach unten!« Aber bald sagte er: »Nun zieht es aber!«, was ich einfach überhörte. Als wir dann auf der Freitreppe vor dem *Rößle* standen, bemerkte er: »Was für ein Anwesen! Das hätte ich nun doch nicht gedacht!« Ich hätte gar keine solche Angst haben müssen, was Henrys erstes Auftreten bei seinen Hotzenwälder Vettern anging. Man verstand sich auf Anhieb. Wir waren ja nicht fremdenfeindlich. Kam einer zu uns, wurde er mit einer Neugier, die fast ein Staunen war, empfangen, so etwa, wie ich auf einer Insel in der Südsee empfangen worden wäre. Henry kam ja dann noch oft zu uns, hatte eine Zeitlang sogar erwogen, den Lebensabend bei uns zu verbringen, was ich ihm zum Glück ausreden konnte, ohne daß es weitere Folgen hatte. Wie man zu Hause zunächst über Henry dachte, kann ich ansonsten nicht sagen. Seine Stimme wurde auf seine Jahre in Hamburg zurückgeführt. Daß er eine Perücke trug, wurde irgendwie nicht bemerkt oder als eine Art Mütze genommen und mit der Kälte erklärt. Den Pelzmantel entschuldigte man damit, daß Henry leicht fror. Daß er offensichtlich leicht geschminkt war, wurde als medizinische Maßnahme (eine Allergie!) interpretiert. Daß er meine Brüder reihum so fixierte, wenn nicht wohlgefällig betrachtete, erklärte man sich mit Kurzsichtigkeit. Nur für den dicken Herrenring gab es keine Erklärung: er wurde bis zuletzt mißbilligt. Ein Mann trug keinen Ring, es sei denn, er war eine Frau. Aber des Erbes zuliebe, das sie, die alten Sauhändler, instinktiv witterten, wegen des Geschäfts, das sie schon zu überschlagen begannen, stellten sie die Bedenken zurück. Der Blödsinn, den Henry von sich gab, wurde freundlich überhört, weil er Professor war. Andererseits imponierten der Bauch und der Appetit ungeheuer. Das wurde der Bodenständigkeit von Affeltrangen her gutgeschrieben. Onkel sprach auch ständig von seiner *leider zu früh gegangenen Frau*, was ein gewichtiges Mißtrauen dieser Erscheinung gegenüber dann doch ausräumte oder wenigstens nebensächlich werden ließ. Sein damals schon bizarres Wesen erklärte man sich schließlich damit, daß dieser Onkel ein Herr war, der aus der Stadt kam. Und ich erklärte mir dies alles genauso.

Es war mindestens ein Doppelleben, das ich damals führte. Nach meinem Umzug von der Burckhardt-Straße in eine Nicaragua-WG mußte ich sowohl Henry von meinen Mitbewohnern fernhalten wie auch umgekehrt. Ich habe mit Henry niemals politisiert, doch ich schloß aus seiner Vergangenheit, daß er gegen eine solche Verbindung und auch gegen solche Ansichten gewesen wäre, wie sie damals die meinen waren. Ich war zwar auch nicht besonders wach, was die großen Zusammenhänge anging, es war eher das Gefühl, das ich hatte: daß es keine Gerechtigkeit gab auf der Welt, ja, daß die Ungerechtigkeit himmelschreiend war und daß dies nicht sein durfte; es war ein Gefühl, das vielleicht auch den Gast bei einer Wohltätigkeitstombola überkommt, so daß dieser vor Rührung zwei Lose mehr kauft und am Ende mit einem nagelneuen Golf GTI nach Hause fährt. Es waren wieder meine Anläufe, Anschluß zu finden, die mich in diese WG, die sich aus dem eigentlichen Kern meiner politischen Gruppe rekrutierte, trieb; wie man sieht, hat man mich durchaus eingebunden. Aber jene Nähe, die ich suchte, habe ich nicht gefunden. Ich tat zwar so, als ob auch mich die sogenannten politischen Ziele am meisten interessierten. Zum Beweis lief ich die ganze Zeit, außer wenn ich mit Henry und den Seinen zusammen war oder wenn ich nach Waldshut fuhr, mit einem Palästinenserschal herum. An den politischen Rotweinabenden nahm ich teil, trank aber schon, während die anderen noch Strategien entwickelten, wie die Amis von Grenada und aus ganz Mittel- und Südamerika zu vertreiben wären. Mich nahmen sie zum Beweis ihrer Toleranz den Zukurzgekommenen gegenüber auf. Auch machte sich so ein Kleiner wie ich, der eine Demo anführen und von der ersten Reihe aus mit dem Megaphon agitieren konnte, besonders nach Henrys Sprecherziehung, nicht schlecht. Deswegen war auch immer ein Rollstuhlfahrer von uns aufgetrieben worden, mit ihm bildete ich die Spitze der Phalanx. Die Polizei, die nicht als behindertenfeindlich gelten wollte, konnte uns nicht einfach prügeln oder mit einem Wasserwerfer wegblasen. Ich war ein mit dem Hoheitszeichen des Palästinenserschals versehener Schutzschild in der ersten Reihe. Aber vielleicht war das vom Kopf unserer Truppe doch nicht zu Ende gedacht. Denn die Strategie ging zwar im Hinblick auf die Bullen auf, aber nicht insgesamt. Die Passanten, die unseren kleinen Haufen vom Straßenrand aus beobachteten und verfolgten, nahmen unsereinen gar nicht ernst. Die Demonstration, eine der letzten überhaupt in Freiburg, mit dem Rollstuhl, Ulli (die wunderbar zu uns paßte) und mir an der Spitze gehörte doch eher in den Karneval. Unser Chefideologe, der auch an der Uni als *Seminarlautsprecher* auftrat, hat nie etwas von psychologischer Kriegsführung verstanden. Heute soll er Sachverständiger beim Bundespatentamt sein. In der einen Hand das Megaphon, in der anderen eine Jute-statt-Plastik-Tasche und um den Hals den Palästinenserschal: so war ich damals unterwegs. *Erbse und Wyhl – Das ist zuviel!* war der Slogan, den ich auf Anweisung unseres Kopfes durchs Megaphon skandierte. Ich war nie in Wyhl gewesen. Aber das Atomkraftwerk, das dort geplant wurde, wollte ich verhindern und alle, die wir demonstrierten. Wir hatten ja recht, eigentlich immer recht, und dabei blieb es. In der *Erbse,* einem besetzten Haus in der Erbprinzenstraße, das vor der Zwangsräumung stand, war ich auch nie gewesen. Heute steht eine Dependance der Seniorenresidenz, das PLATZ AN DER SONNE II, an der Stelle der *Erbse.* Aus Liebe oder aus angeborenem Mitleid hatte Ulli bald ein Auge auf mich geworfen, sie ging damals auf den Demos neben mir her, kroch damals zu mir ins Bett und täte dies vielleicht immer noch. Sie hat es ernst gemeint mit dem Palästinenserschal, während die anderen schon lange auf einem Lehrstuhl sitzen oder auch in ihrem Lektorenzimmerchen unter dem Dach und Ulli, falls sie sie treffen sollten, immer noch duzen. Ulli arbeitete dann lange Zeit als Spülerin in der Studentenmensa. Aus unseren Zielen ist auch nichts geworden. Gut zwei Jahre waren wir unterwegs in dieser Formation, und erreicht haben wir nichts: das Atomkraftwerk wurde zwar nicht in Wyhl, doch ganz in der Nähe gebaut, die *Erbse* wurde geräumt und abgerissen, und die Amis sitzen bis zum heutigen Tag auf Grenada.

In der WG-Zeit hatte ich kein eigenes Auto. Unterwegs war ich per Mitfahrgelegenheit. Per Anhalter war schlechter. Hielt überhaupt einer an, war es eine Frau, die möglicherweise nur Mitleid hatte. Als es dann eine Mitfahrzentrale gab, wurde das Reisen einfacher. Die Enttäuschung war den Fahrern immer ins Gesicht geschrieben, das glaubte ich jedenfalls zu sehen, wenn ich am vereinbarten Treffpunkt zustieg. Während der Fahrt sprachen sie kein Wort mit mir, immer nur mit den anderen. Ich war dabei, als ob ich nicht dabei gewesen wäre. Wenn mein Palästinenserschal nicht so gerochen hätte, wäre ich beim Aussteigen vergessen worden.

In der lokalen ZYPRESSE inserierte ich als Babysitter und sogar als Haushaltshilfepraktikant. Es gab jeweils eine fast unüberschaubare Zahl von Anfragen. Als ich dann aber in die Häuser kam, schreckten die Hausfrauen schon an der Tür zusammen, ich glaube, sie trauten mir diese Aufgabe einfach nicht zu. Die Kinder begannen zu weinen, weil ich ein Mann war, vielleicht aber auch nur wegen des Palästinenserschals. Nicht einmal als Haushaltshilfepraktikant, wo ich praktisch umsonst gearbeitet hätte, wollte man mich haben. Eine Dame, die mich doch versuchsweise – für drei Tage – genommen hatte, erklärte mir, ihre Katze sei meinetwegen krank geworden und habe nun Herzrhythmusstörungen und Verdauungsschwierigkeiten, könne auch nicht mehr schlafen. Wenn ich alles recht bedenke, so konnte ich immer gehen, wohin ich wollte. Es gab keinen Menschen, der mich aufgehalten hätte. Alle haben *drei Kreuze gemacht,* als ich ihnen aus dem Weg ging.

Ja, irgendwann war ich so weit unten, daß es mein Ziel war, ebenerdig zu leben. Denn nach meinem Hinausschmiß aus der WG landete ich erst einmal im Souterrain. Es hieß, ich sei nun zu alt für eine Wohngemeinschaft, in der Studenten wohnten, die so alt waren wie ich. Das hat mich so sehr verletzt, daß ich gar nicht bis zum Monatsende warten wollte. Kopf- und fristlos habe ich mein Zimmer in der Carl-Kistner-Straße verlassen und an der Schwarzen Tafel des Kollegiengebäudes I nach dem nächstbesten Zimmerangebot gegriffen, es handelte sich um eine *nette, kleine 8 m² große Wohnung, Souterrain, Scheffelstraße 51.* Ich habe sie auf Anhieb bekommen. Kein Mensch wollte sie haben, obwohl die Miete (kalt) nur hundertfünfzig Mark betrug. Das war auch damals ausgesprochen günstig. Nachts konnte ich kaum atmen, und wenn ich weinend im Dunkeln lag, waren die Tränen kalt, noch bevor sie recht über mein Gesicht hinabgelaufen waren. Dies in einer Zeit, als ich doch schon mindestens einmal pro Woche bei Henry zum Nachmittagstee geladen war. Da sollte ich auch noch Konversation treiben! Zu fragen, ob ich bei ihm – nur vorübergehend – wohnen könnte, traute ich mich nicht. Ich wußte, daß er in der gepflegten Nachbarschaft den Witwer spielte und allen gegenüber betonte, daß ich sein Neffe sei. Während wir aus den Kaisertassen tranken, sprach er mir Mut zu, versuchte mich zu trösten, machte mir – vielleicht zweifelhafte – Komplimente und ließ mich wissen, daß für mich schließlich gesorgt sei. »Du bist so schön wie Freddy Quinn!«

hat er plötzlich ausgerufen. Ich wußte nicht, ob dies ein Kompliment, eine Herabsetzung oder nur ein Vergleich sein sollte. Damit mußte ich auch noch fertig werden. Ich lief nach Hause und stellte mich vor den Spiegel, um herauszufinden, ob ich so aussah wie Freddy Quinn – oder vielleicht doch noch etwas mehr hergab.

Ich muß zugeben, daß mich bis zum heutigen Tag kein Mensch *unsittlich berührt* hat; hätte ich darauf gewartet, wäre es vergebens gewesen. Ich machte Anstalten, machte es den Menschen leicht, aber am Ende kommt einer, der sagt: Du siehst so aus wie Freddy Quinn.

Vom Souterrain aus kam ich auf den Gedanken, es doch mit dem *Vorwohnen* zu versuchen, also wie im 19. Jahrhundert, der großen Zeit des Vorwohnens, eine gerade errichtete Wohnung zu beziehen, praktisch umsonst, abzuwarten, bis die Räume trocken waren, und eine Tuberkulose zu riskieren oder gleich den Tod. Wie wäre es mit Probewohnen gewesen? Oder Wohnungen, die irgendeinen Schaden oder Nachteil aufwiesen, wie zum Beispiel der ehemalige Milchladen: der Geruch eines ehemaligen Milchladens als Nachteil, meine Chance: dort das Wohnzimmer im Laden einrichten, das Sofa praktisch ins Schaufenster stellen. Zu allem ein Geruch, den man sich nicht vorstellen kann. Oder eine Zeit im Wohnwagen, einen Sommer auf dem Campingplatz am Stadtrand, einen schicken alten Wohnwagen anmieten, oder jenes Haus, auf dessen Dach die Feuerwehrsirene für den Stadtteil installiert war, nebenher in der Verwaltung helfen, den Rasen mähen, für die Abfälle zuständig sein, ein paar Monate einen Platz praktisch umsonst haben. Oder in einem ausgemusterten Ausländercontainer wohnen, auch sehr günstig.

Nachdem feststand, daß ich in der Stadt auch nicht

reüssieren würde, sah es bis zum *Stichtag* (Henrys siebzigstem Geburtstag) ziemlich *mau* aus.

Ich sehnte mich danach, irgendwo dazuzugehören, etwas zu sein. Habe ich nicht vieles versucht, mich angestrengt, dabeizusein? Aber ich konnte nicht mithalten. Abgehängt, ausgebootet, überflügelt von den Stärkeren, Schnelleren, Besseren, die die Welt unter sich, vom *Rößle* an, aufgeteilt haben. Es hieß immer, ich hätte keinen *Abschluß*. Gewiß, aber ich wollte doch nicht als Rößle-Anwalt praktizieren. »Du hast doch zwei gesunde Hände und Füße!« sagte ich mir. Das stimmte zwar nicht ganz, aber immerhin. Doch es blieb dabei: kein Mensch wollte etwas von mir wissen. Niemand fragte nach mir, kein Mensch wollte etwas von mir wissen, ich konnte gehen, wohin ich wollte, armes Ding! Jetzt fang ich gleich an zu weinen. Und doch: was ich seit der Kinderzeit praktisch verlernt hatte – im richtigen Augenblick zu weinen –, es ging wieder. Ort und Zeit stimmten. Es war Nacht. Es war unter der Bettdecke, drei Meter unter der Erde.

Dies mag der Hauptgrund sein, weswegen sich ein Mensch sträubt, unter der Erde zu wohnen, auf Ameisen-, auf Wurmhöhe, praktisch schon auf Höhe der Toten. *Hinabgestiegen in das Reich der Toten,* ein Hauptsatz des Credo. Gerade da, vor Ort, sehnte ich mich danach, irgendwo dazuzugehören. Ich war so weit außerhalb oder unten, daß die sogenannte Unterschicht damals schon ein Aufstieg gewesen wäre. Ich träumte nun schon davon, in die Unterschicht aufzusteigen, dabeizusein und dazuzugehören. Ich selbst rechnete mich zum Segment *vertuschtes Unglück,* das in den Statistiken auch nicht vorkommt. Ich hatte erfahren müssen, vielleicht war es auch nur ein Gefühl, als ich an den Pennern, die auf dem Platz vor der Herz-Jesu-Kirche herumstanden, vorbeischlich, daß sie mich nicht haben wollten. Und die

Punker nebenan auch nicht. Und nicht einmal die gewöhnlichsten Säufer, unter ihnen Einbeinige und Raucherbeine, die sich unter der großen Betonbrücke zusammenrotteten. Ich sah, daß sie mich übersahen. Ich war ein Phänomen der Ausgrenzung.

Ich mußte mein Bier allein trinken, und ich war schon dabei zu glauben, daß dies nun für immer so sein sollte. Zermürbt, aufgelöst, aufgeweicht stieg ich die Treppenstufen in der Scheffelstraße 51 mit der Aussicht auf den Müllcontainer hinab. Ja, Henry gab es noch und auch bald meine Cousine Irma und ihren Mann, die eines Tages vor – oder besser: über meiner Tür standen und klingelten.

Damals und heute wurde ich immer wieder gefragt, was ich sei, und wovon ich lebe. Auch wenn das gerade jene Menschen fragten, die das überhaupt nichts anging. Denn im Grunde ging diese Frage nur mich etwas an, mich ganz allein. Nie wußte ich darauf eine rechte Antwort. Wollten sie nur hören, daß ich nichts war? Wollten sie sich nur ihren Vorsprung bestätigen lassen? Warum fragten sie? Sie sahen doch alles, glaubte ich.

Meine Atemlosigkeit war eine Krankheit, die zunächst nicht überprüfbar war und auf keinem Röntgenbild erschien. Ich sagte nun: *Ich bin krank!* Mit dieser Auskunft konnte ich geraume Zeit weiterleben, mich durchmogeln. Doch dann nahm diese Krankheit tatsächlich von mir Besitz. Vom siebzigsten Geburtstag an wartete ich dann auf den Erbschein. Das war mein Beruf. Da ich dies so nicht sagen konnte, dachte ich daran, mich als Tänzer, Journalist oder gar als Schriftsteller auszugeben. Das eine oder andere eine ideale Bezeichnung für mich, völlig ungeschützt, ein Berufsbild, das auf keinem Röntgenbild erscheint. Ich sagte: »Ich schreibe«, also war ich. »Schriftsteller?« – »Ja«, sagte ich, obwohl ich keine Zeile veröffentlicht hatte, außer einen Leserbrief in der BADISCHEN ZEITUNG, in dem ich mich über die abfällige Besprechung eines Joan-Baez-Auftrittes in der Freiburger Stadthalle empört hatte. Doch auch ohne diesen Leserbrief hätte ich ganz zu Recht, ohne zu übertreiben oder zu lügen, sagen können, daß ich schrieb und so gesehen ein Schriftsteller war. Ich schrieb ja an meinem *Onkelbuch* von dem Augenblick an, als ich Henry zum ersten Mal mit dem Gourmetlöffel hantieren sah. »In einem kleinen, aber bedeutenden Verlag!« sagte ich, wenn ich gefragt wurde: »Wo erscheinen Ihre Sachen?«, oder, näher an meiner Hoffnung: »wird demnächst erscheinen«. Trotz allem gab es Menschen, die mein Buch bestellen wollten oder vielleicht nur in der Stadtbibliothek ausleihen, wohl um sich zu amüsieren, dachte ich. Nach Titeln wurde ich gefragt. Ich zierte mich. Nein, auf Lesereise könne ich nicht gehen, wegen meiner Kurzatmigkeit. »Haben Sie schon etwas Neues?« fragten mich Menschen, die das alte noch nicht kannten, unmöglich kennen konnten. Immer waren sie beim Neuen. Ich – aber das ist eine andere Geschichte.

Scheffelstraße 51. – Verlies, Gefängnis, Verschlag meines Lebens! Wo ich davon träumte, mit Heidegger verwandt zu sein, ihn, wenn nicht zum Vater, so doch zum Großvater zu haben. Am Juristischen Seminar behauptete ich, Heidegger sei mein Großvater, nicht aber zuvor in der WG, wo der Name Heidegger wenig prestigeträchtig war. In der Scheffelstraße träumte ich mich zu Heideggers Enkelin hinauf, die ich heiraten wollte, um ihm einen Urenkel zu schenken. Wenn ich ihn schon nicht verstand, fühlte ich mich wenigstens verwandt. Neben der Haustür – ich stand, wenn ich die Tür öffnete, im Freien, meine Wohnungstür war eine Kellertür –, auf der untersten Treppenstufe, hatte ich, wohl aus Heimweh, ein Thermometer angebracht, ein einstiges Weihnachtsgeschenk an unsere Kunden, auf dem die *optimalen Stalltemperaturen* verzeichnet waren: 5–10 °C Milchvieh, 10–20 °C Zuchtkälber, 16–22 °C Mastschweine, 18–24 °C Mastkälber, 22–30 °C Ferkel. Scheffelstraße 51! Ein schönes Haus, die Nummer war schmiedeeisern. Über mir wohnte vier Stockwerke Lehrer-und-Ärzte-Biedermeier, lebten in gutbürgerlichem Glauben, glaube ich. In ihre Wohnungen kam ich ja nie. Ich erschließe alles aufgrund der Balkonbepflanzung und der Existenz von Hollywoodschaukeln.

Als ich einmal zufälligerweise auf einer Fahrt nach Hause Vladimir Horowitz im Autoradio die *Träumerei* spielen hörte, beschloß ich, daß ein Klavier her müsse, koste es, was es wolle. Ein Leihklavier von Lepthien. Das habe ich dann an die Wand zum Heizungskeller hin gestellt. »Ist der Platz trocken, wo Sie das Instrument aufstellen wollen?« war ich gefragt worden, und ich wußte wieder einmal nicht, warum man ausgerechnet mich so etwas fragte. Das Stutzklavier nahm nicht so viel Platz weg. Es stand nun an der Stelle meines Bettes, das ich in den Sperrmüll gab, während ich die Matratze tagsüber geschickt zwischen Wand und Klavier schieben konnte. Ich habe einen arbeitslosen Klavierlehrer namens Konstantin-Uwe angeheuert. Meine Bedingung war, daß ich nicht mit langweiligen Fingerübungen beginnen wollte, ich wünschte anhand der »Träumerei« *gleich in die Klavierliteratur hineinzugehen,* wie ich vornehm, an Henry geschult, formulierte. Acht Stunden am Tag habe ich zwar nie an der *Träumerei* geübt, aber dann mußte ich mich – auch wegen der Nachbarn, die mich wegen meiner *Träumerei* umbringen wollten, wie ich gehört hatte –, doch entscheiden: entweder ich oder die *Träumerei.*

Die *Träumerei* hatte ich mir, nebenbei gesagt, im Selbststudium aneignen müssen, denn Konstantin-Uwe hatte gleich nach der ersten Stunde mit der Behauptung aufgegeben, meine Hände seien nicht synchronisierfähig.

Henry hat übrigens (m. E.) gar nichts von Musik verstanden. Er hat sie nicht einmal geliebt. Er ging nur wegen der Pausen, wo er mit wechselnden Begleitern und Begleiterinnen durchs Foyer wandelte, und wegen des Publikums in die Albert-Konzerte. Sein ganzer Ehrgeiz, was die Musik angeht, bestand darin, die Zugaben zu erkennen und beim anschließenden Essen damit als Musikkenner aufzutrumpfen.

Sie haben schon verfügt! Vielen Dank. Ihre Bank

Woher kam Irma? *What's her background?* fragte mich David, einer der wenigen Gäste, die bei der Party zum fünfundfünfzigsten Geburtstag von Klaus erschienen. Irma war gerade in der Küche oder machte sich hinten kurz frisch. Eine schwierige Frage, aber ich versuchte, darauf zu antworten. Ich konnte ihm sagen, daß sie aus Bietigheim-Bissingen, eigentlich aus Bissingen, stammte, und forderte ihn auf, *Bietigheim-Bissingen* nachzusprechen. Bald wechselten wir zu anderen Feldern, da ich bemerkt hatte, daß David die Einzelheiten doch nicht so genau wissen wollte. Ihre größte Besonderheit war vielleicht, daß, grob gesagt, die eine Arschbacke dicker war als die andere.

Bietigheim-Bissingen, schon was den Namen angeht, eine Verbindung, die wir der Administrationsfurie in Baden-Württemberg verdanken. So auch Villingen-Schwenningen und so fort. *Schwillingen* sollte die Mißgeburt heißen, und Bietigheim und Bissingen hätten nach den Verwaltungsbarbaren *Bissigheim* heißen sollen. Aber dann hat sich das charmante *Bietigheim-Bissingen* als Name durchgesetzt. Irma war eine echte Bissingerin. Vor einigen Jahren war sie aber mit ihrem Klaus in die Gegend von Freiburg gezogen. Wir bezeichneten uns gegenseitig als Cousine und Cousin, eigentlich war sie, zwei Jahre älter, eine Tante von mir. David, der aus Toronto stammte, war einige Jahre jünger, Mitte zwanzig, und arbeitete bei den Kanadiern in Lahr, die dort ihren größten Militärstützpunkt außerhalb Kanadas unterhielten. Ihn hatte ich über eine Kontaktanzeige kennengelernt. Unter *Verschiedenes* hatte ich mich als

Sprachlehrer angeboten. Ich glaubte, daß, wenn überhaupt einer im oberbadischen Raum, ich dafür in Frage käme. Mein Deutsch konnte sich mit dem Freiburgerischen durchaus messen. Das war also die Verwegenheit eines Zurückgesetzten, der die Maßstäbe verloren hat, denn neben dem Sprachunterricht hatte ich auch eine *Einführung in die deutsche Gesellschaft* in Aussicht gestellt, eine glatte Hochstapelei, möglicherweise durch einen Übersetzungsfehler noch zugespitzt, denn meine Anzeige war englisch formuliert. Ich hatte bei dieser *Einführung* vor allem an Klaus, Irma und Onkel gedacht. David, einer von diesen Menschen, die aus meinem Leben verschwunden sind, schien bei der ersten Begegnung mit mir auch enttäuscht zu sein, vielleicht auch nicht, denn ich machte ihm bald ein günstiges Angebot.

Früh hatte Irma mir verboten, Tante zu ihr zu sagen. Ihr Vater war der Bruder meines Großvaters. Der Großonkel hatte in Bissingen eingeheiratet. Irma war erst ganz spät gekommen. Die dreiundvierzigjährige Mutter mußte ihr Kind mit einer Milchpumpe, einem Apparat, der wie eine Melkmaschine arbeitet, aufziehen. Zweimal im Jahr sind dann die Bissinger zu uns nach Waldshut gekommen; und auch die Viehhändlerbeziehungen waren kontinuierlich und gegenseitig. Dieser Großonkel kam gern nach Hause, ich glaube, er hat es ein Leben lang bereut, nach Bissingen geheiratet zu haben, nicht nur wegen der Leute, die ihm doch recht fremd waren, sondern auch wegen der äußerst schwierigen Familienverhältnisse vor Ort. Um 1890 war ein junger Schwabe, Irmas Großvater, auf die Tochter eines hanseatischen Magnaten gestoßen – oder umgekehrt. Wo und wie genau haben wir nie erfahren, Irma konnte darüber keine Auskunft geben. Onkel Henry hat aber dann herausgefunden, daß das die Schwester der angeheirateten Stieftochter aus zweiter Ehe seiner leider viel zu früh verstorbenen Großmutter mütterlicherseits war; daß also auch Irma über die Bissinger Linie mit Henry verwandt war, doppelt verwandt sozusagen. Irmas Geschichte war aber für sich genommen ziemlich einfach: Ihr Großvater hatte eine Hamburgerin aus gutem Hause geheiratet. Der sah wohl *unverschämt gut aus,* wie man in Leoben und Gurk sagt, und das war schon fast alles. »Junge Schwaben können ja«, sagte mein Henry immer, »zuweilen wie Götter aussehen, bis wir durch ein erstes HANOI! in die Schranken der Faktizität verwiesen werden.« Etwas so Ephemeres wie ein Gesicht hat also eine Frau aus dem hohen Norden nach Bissingen verschlagen, aus einem großen Haus in die zentralschwäbische Pampa, in die Arme einer Schönheit auf Zeit. Es war wohl Liebe. Irmas Großmutter schwärmte noch bis zuletzt von ihm. Dabei war sie an die Erinnerung und ihre Schatten verwiesen. Das Unstete an Irma mochte schon in diesem Großvater angelegt sein. Ein Leben lang habe er zwischen Großmetzgerei und Lastwagenimperium hin und her geschwankt, zwischen Geschäften und Frauen. Irma berichtet, daß ihr Großvater bei seinem ersten Besuch in Hamburg, um, wie er gesagt hat, *sein Weib abzuholen* (so wie er später seine Schweine abholte), für die Hamburger Ohren ein dermaßen abstoßendes Schwäbisch gesprochen habe, daß man erwog, die Großmutter durch einen enormen Geldbetrag freizukaufen. Der Bissinger wäre mit dem Handel einverstanden gewesen, nicht aber die Großmutter. Es war schon ein Kind *unterwegs,* Irmas Mutter, die spätere Frau meines richtigen Großonkels Willy. Das Kind wurde nicht zur Adoption freigegeben, was für den Kindsvater noch einmal ein Geschäft gewesen wäre, sondern wuchs in die schwäbische Welt hinein, wie auch die Mutter, die sich in alles hineinfand, bis auf die Sprache. Mit Hamburg hatte man sich total überworfen. Nachdem eine sogenannte Abfindung überwiesen war, hätten die Bissinger nichts mehr von Hamburg gehört, sagte Irma.

Mit der Abfindung begann eine kleine Erfolgsstory auf schwäbisch. Der Bissinger Großvater hat sich mit dem Geld einen der ersten Lastwagen überhaupt gekauft und damit Kies im Stuttgarter Raum herumgefahren. Er, der außer sich selbst nichts eingebracht hatte ins Geschäft, keinerlei finanzielle Mittel, hat, sagt Irma, ein halbes Leben lang von der Einrichtung einer Metzgerei geträumt, in der er eine ganz bestimmte Wurst, die schon sein Großvater väterlicherseits um 1840 herum erfunden hatte, die sogenannte *Dauerwurst,* produzieren, im ganzen schwäbischen Raum per Versandhandel vertreiben und vor allem aber patentieren lassen wollte. Der im Grunde geniale Einfall ihres Großvaters Isidor Späth, der, nebenbei gesagt, ein Cousin des Großvaters von Lothar Späth (der ja auch, wenn auch in Sigmaringen geboren, eigentlich ein Bissinger ist) war, der geniale Einfall, auf zwei Standbeinen zu stehen, hat vieles von der schwäbischen Wirtschaftsdynamik, bis zu Mercedes hin, vorweggenommen, leider auch schon deren *Strukturprobleme.* »Alle haben bei uns damals die Dauerwurst bestellt, die Kinkels viermal im Jahr, und der Vater des Afrikahelden Rommel hat jeden Samstag eine Dauerwurst persönlich bei uns abgeholt, auch im Sommer, wenn nicht geschlachtet wurde«, sagte Irma. Aber dann sei, schon in der Generation des Großvaters, das Nachfolgeproblem aufgetreten. Eine Frau durfte damals nicht Lastwagen fahren und vor allem die Metzgerei nicht übernehmen. Zum Glück kam dann mein Großonkel, der eigentlich nur ein Pferd, das für die Dauerwurst vorgesehen war, abliefern sollte: das gehörte zum Rezept hinzu, ein Pferd, das mit Hotzenwälder Heu gefüttert worden war. Bald war man handelseinig: Irmas Mutter wollte diesen Mann haben, während ihr Vater gegen den Hotzenwälder und Badener sprach: man traute ihm *wirtschaftlich-geldmäßig* nichts zu, berichtet Irma. Solange der Dauerwurst-Großvater lebte, habe der meinen Großonkel, seinen Schwiegersohn, nicht aufkommen lassen und auch dafür verantwortlich gemacht, daß man Ende der fünfziger Jahre (Großvater war nun achtundneunzig) lediglich mit einem Opel Blitz, einer kleinen Metzgerei-Verkaufsecke und einer Tochter dastand. Die Verbitterung über den Badener habe ihren urschwäbischen Großvater schließlich in den Tod getrieben.

Irma empfand ihre Kindheit dennoch als glücklich. Leider blieb es bei ihr, wie sie selbst sagte, es wurde kein Stammhalter geboren, der das leidlich prosperierende Unternehmen hätte übernehmen können. Dennoch: es waren zwanzig schöne Jahre, ihre Mutter war nun Anfang sechzig, der Vater schon über achtzig. Die Nachfolgefrage stand an. Wie hätte ein Mädchen diese zwei Ein-Mann-Betriebe übernehmen sollen? Den Lastwagenführerschein zu machen, wäre die Hauptschwierigkeit nicht gewesen. Man hätte den Opel Blitz ja auch günstig in die DDR abstoßen können – oder an irgendeine städtische Bühne für ein Brechtstück mit Lastwagen. Das Problem war die Metzgerei. Nicht daß Irma für diese Aufgabe nicht geeignet gewesen wäre. Irma hatte das Zeug zum Metzger, wie sie ja als Tier- und später Altenpflege-Gehilfin bewiesen hat. Sie hätte gerne eine Lehre und später *den Metzgermeister* gemacht. Aber die württembergische Handelskammer verbot die Ausbildung der Frau zum Metzger, altes Berufsethos, das besagt, daß die Frau zum Töten weder geeignet noch berechtigt ist. Verschiedene Eingaben bis zum Landtag hin blieben fruchtlos. Also folgte eine Lehre auf dem Finanzamt Bietigheim-Bissingen, die Prüfung zur Steuergehilfin. Irmas Vater, der sich in seinem Starrsinn immer mehr zum alten Württemberger entwickelt hatte, fuhr noch bis zuletzt mit seinem kleinen Viehwagen. Da ist er auch umgekommen, unterwegs zu uns, nachts auf der Autobahn. Es war ein sogenannter Auffahrunfall. Der Großonkel war tot, seiner Frau hat es die Sprache verschlagen, und die anderen haben gelacht: Alle, die die Schlagzeile der BILDZEITUNG gelesen haben: BEIM ÜBERHOLEN GETÖTET: 88JÄHRIGER AM STEUER EINES SATTELSCHLEPPERS SCHULDLOS, haben gelacht, außer uns. Der Sattelschlepper war eine Übertreibung und das *Überholen* eine Lüge, und daß es nachts auf der Autobahn war, wurde unterschlagen. Irma hat diesen Verlust bis heute nicht verschmerzt; sie kam von da ins Trudeln. Großonkel muß ein guter Vater gewesen sein. Sah bis zuletzt fabelhaft aus, wurde immer wieder mit dem früheren IG-Metall-Chef Kluncker verwechselt. Der Mutter und gar der feinen Hamburger Großmutter gegenüber fühlte sich Irma nicht gewachsen und schlug sich von da ganz auf die schwäbische Seite. Sprachlich ohnehin, und auch in ihren Ansichten und in ihrer ganzen Lebensführung. Sie machte sich über einige verbliebene Angewohnheiten von der Großmutter her oftmals lustig, so zum Beispiel: den Tisch zu decken, eine Serviette beim Essen zu benutzen und kein Speckbrettchen, sondern Porzellan, weswegen man sie im Schwäbischen ein Leben lang verhöhnt hat. Speck und Porzellan geht nicht zusammen! Recht hatten sie ja in diesem Fall! Daß sie dem Postboten zu Weihnachten ein Trinkgeld gab, führte jedes Jahr zum Heiligabendstreit. Alles im Grunde nicht nötig: *Dees wär em Grond net netig gwää!* Aber daß sie sich nicht der Kehrwoche angeschlossen hat, sondern, wie in Hamburg üblich, das ganze Jahr über eine besenreine Lebensweise führte, hat sie zur Fremden gemacht, zur Ausländerin, die sich auch sprachlich niemals unterworfen hat. Das war Irmas Großmutter.

Irma selbst, die ein sehr hübsches Gesicht und die passende Figur dazu hatte, lernte, Halt suchend, nach dem Tod ihres Vaters Klaus kennen, *altersmäßig* zwischen ihrem Vater und ihr stehend, gute zwanzig Jahre älter als sie. Von da verlief ihre Geschichte bergab, zuletzt mit einem enormen Neigungswinkel. Sie hat sich ihren Klaus gegen alle Einwände in den Kopf gesetzt, so wie sich ihre Mutter ihren *Wille-Vetter* (schwäbisch für: Willy) in den Kopf gesetzt hatte. Den Bart und den Bauch hat sie wohl instinktiv mit ihrem Anlehnungsbedürfnis in Verbindung gebracht. Die Lebensversicherungen des Vaters konnte sie auf Betreiben von Klaus der Mutter abschwatzen. Die Mutter wurde auf das Drängen von Klaus hin entmündigt, und, um Geld zu sparen, in die berüchtigte Anstalt von Rottenmünster gesteckt. So galt die Tante als krank – und das war umsonst. Über die Konten verfügte nun Irma, eigentlich Klaus. Die Stelle beim Finanzamt hatte sie aufgegeben, bei ihrer schwäbischen Vorsicht! Sie reiste nun als Begleitperson eines Spielautomatenabkassierers und Zigarettenautomatenauffüllers. Klaus hatte nämlich auf Irmas Namen eine einschlägige Firma gegründet. Ich hörte, daß sie danach eine Zeitlang ein Fitness- und Bräunungsstudio gemietet hatten. Dann kam die Tankstelle mit Mazdakonzession irgendwo im Fränkischen. Die Metzgerei wurde für eine Chinchillazucht verkauft.

In meinem Leben erscheint Irma erst wieder nach Jahren. In dem Brief, den sie ins *Rößle* geschickt hatte, fragte sie, ob ich noch am Leben sei und wenn ja: wo. Ja, das war ich, und wie! Außerdem teilte sie mir die Einweisung ihrer Mutter nach Rottenmünster, deren Tod fünf Jahre nach der Überstellung, die *wunderbare Lebensgemeinschaft mit Klaus,* ihre Tätigkeiten in verschiedenen Branchen seither auf einigen Seiten rosaroten Papiers in einer Art Kinderschrift mit. Den Grabstein für die Mutter haben sie übrigens – *die Mutter sieht's doch nicht mehr* – aus einer Verbindung von Not und Geiz selbst gemacht, Heimwerkerdesign. Einen größeren Brocken nachts in der Kiesgrube geholt und dann mit blauer Acrylfarbe den Namen der Mutter draufgeschrieben, was nicht ganz einfach war.

Aus denselben Gründen, kein Geld für Pariser zu haben oder haben zu wollen, begannen sie mit Analverkehr (Klaus sprach freilich vom *Arschfick*, ein Wort, das ich nicht in meinen Text nehme) und sind wohl dabei geblieben. Ich wußte nun, daß sie irgendwo ganz unten angekommen war, sonst hätte sie sich bei mir niemals gemeldet. Aber dann wurde ich zu einem Begleiter in ihrem neuen Lebensabschnitt.

»Das ist aber schön, daß du anrufst! Du klingst so nah!« sagte ich. Tatsächlich standen die beiden in der Telefonzelle in der Scheffelstraße über meiner damaligen Haustür. »Wo seid ihr? Das ist ja wunderbar! – Kommt doch auf einen Kaffee vorbei!« sagte ich. Und dann kamen sie, mit nichts als einem Überseekoffer. Sie fragten bescheiden, wo man hier günstig übernachten könne. Da habe ich Irma halt meine Campingliege, ihm einen Platz auf dem Boden angeboten. Sie hatten tatsächlich nicht mehr als diesen Koffer. Per Anhalter waren sie zu mir gereist. Warum ich ihre letzte Adresse war, warum die Wahl auf mich fiel, weiß ich auch nicht. Irma wirkte erleichtert, so, als ob nun alles ausgestanden, *vorbei* sei. Sie fiel mir mehrfach um den Hals, was ich doch gar nicht verdient hatte und mich rührte. Klaus hat sich – ziemlich aufdringlich – mit mir angefreundet, tat so, als wären wir uns in einem anderen Leben schon einmal begegnet. Irmas Liebe zu Klaus habe ich nie verstanden. Aber was verstehe ich schon von Frauen, die nichts von Männern verstehen.

Nachdem schon abzusehen war, daß Irma und Klaus niemals mehr auf den sogenannten *grünen Zweig* kommen würden und die beiden schon geraume Zeit bei Henry eingeführt waren, eröffnete mir Klaus einen auf den ersten Blick merkwürdigen, dann aber doch einleuchtenden Plan, den er mir als *unseren* Plan einredete. Klaus war zuletzt Tierpfleger am Humangenetischen Institut der Universität Tübingen gewesen. Die Stelle hatte er wegen einiger Unkorrektheiten bei der Futtermittelabrechnung für die Versuchstiere verloren. Er hatte nicht die geringste Chance, am Humangenetischen Institut in Freiburg unterzukommen, obwohl er sich zunächst von Henry Hilfe versprochen hatte, weil der Direktor des Instituts ein alter Heideggerschüler war.

Schön, was sich da so alles Tierpfleger nennt, dachte ich, als mir Klaus zum ersten Mal von seiner Tätigkeit in Tübingen berichtete. *Tierpfleger* – hört sich gut an, wie Rechtsanwalt, Rechtspfleger, Seelsorger (= Psychotherapeut), Volksvertreter und so weiter. Er hätte mich gerne einmal mitgenommen und mir gezeigt, wie vielseitig das Berufsbild sei, ihm bei seiner Arbeit als Tierpfleger zuschauen sollte ich, wie er die Ratten aus dem Käfig heraus packte, ohne daß sie ihm in die Hand bissen, wie er sie an die Anfangssemester verteilte. Wie er die unteren Semester anlernte, ihnen beim Fixieren einer weißen Maus half, beim Sezieren und so fort. Ein Tierpfleger war natürlich auch für die Betreuung der Exemplare von Versuch zu Versuch und im Versuch selbst zuständig, für die kostbaren Affen und die weniger seltenen Hunde und Katzen. Sogar die Schweine habe er damals in seinen unterirdischen Verliesen gepflegt. An einem Schwein lasse sich das Operieren am besten erlernen, sagte er. Und nun fragte er mich, ob ich mich an einer Firma beteiligen wolle, die er zu gründen vorhatte.

Klaus und Irma waren in der SCHUFA, dem Verzeichnis aller nichtkreditwürdigen und einschlägig vorbelasteten Personen Mitteleuropas. Sie brauchten mich also für ihren Plan. Klaus wollte, zusammen mit Irma, von Tier- auf Altenpfleger umsatteln; ich sollte *nur* den Gewerbeschein beantragen und ein eigenes kleines Wohnstift gründen, vielleicht mit Henry als erstem Insassen, wenn möglich sogar das Lorettoberghaus als feine Adresse für eine solche Einrichtung. Die Arbeit als Altenpfleger, redete er auf mich ein, sei ganz unproblematisch. Es werde so gut wie nichts vorausgesetzt. Nur zu viele Ekelgefühle dürfe man wohl nicht mitbringen. Wir müßten den Betrieb nur beim Gesundheitsamt anmelden. »Mensch!« redete er auf mich ein, »besorg dir einen Gewerbeschein! Die Zivis bekommen wir gratis! Du mußt überhaupt nichts tun!« wollte er mir weismachen. »Wir übernehmen die ganze Arbeit für dich. Mann! Da sind die spitzesten Zuwachsraten drin!« Doch mich, im Grunde nicht abgeneigt, stießen die Formulierungen von Klaus ab, vor allem das *Mensch* und das *Mann!* Irma bemerkte mein Zögern und kam nun mit ihren Argumenten: daß sie einen Arzt kenne, der seine Praxis aufgegeben habe und nun ein Wohnstift betreibe; ganze Krankenhausabteilungen müßten schließen, weil nun alle *auf Wohnstift machten;* kaum seien ein Arzt und drei Krankenschwestern, fünf Putzfrauen und ein Hausmeister zusammen, träume man davon. Selbst Chefärzte investierten schon in Bau oder Ankauf einer geeigneten Immobilie. Nachher sei ja alles umsonst: wo gebe es das sonst noch, daß die eigentlichen Arbeiter, jene, die diese Drecksarbeit verrichten, die in einem solchen Haus nun einmal anfalle, vom Staat gestellt würden, junge Männer im besten Alter ihres Lebens! Soweit Irma. Ich hatte gar nicht gewußt, daß sie so heftig werden konnte und dermaßen geschickt Klaus zu Hilfe kam. Doch ich wollte mich nicht mit *Mensch* anreden lassen, schon gar nicht von Klaus, schon gar nicht in diesem dreisten Ton. Wer acht Alte nachweisen konnte und nicht in der SCHUFA war, bekam den Gewerbeschein, ich weiß. Habe ich also den beiden die Zukunft verdorben, nur weil ich mich nicht entschließen konnte, meinen Namen herzugeben? Ich habe mich zwar immer durchschlagen müssen, aber risikofreudig war ich nicht. Ich war eher ein Träumer, einer mit durchaus kriminellen Phantasien. Aber euch einen Gewerbeschein beantragen? Fast wäre die *Freundschaft* mit den beiden zerbrochen. Schließlich beantragte ich ihn doch, formulierte den Antrag aber so, daß er abgelehnt werden *mußte.* Das wurde akzeptiert.

Ach, wir haben uns vieles ausgedacht! Kein Mensch kann sagen, daß mir nichts eingefallen wäre. Ich habe die beiden zu Henry mitgeschleppt, obwohl der zu Beginn gar nicht so viel von ihnen wissen wollte. Sie gaben nicht viel her.

Ich konnte Henry dennoch überreden, daß wir Ende Juni zu viert Richtung Norden losfuhren. Er hatte eigentlich mit mir allein reisen wollen, nach Dänemark, hätte sich immer als mein Besitzer aufgespielt, hätte *Kingsize bitte!* gesagt auf die Frage, ob er ein Kingsize- oder ein Queensizebett wünsche. Wegen des Regens hätten wir nichts unternehmen können außer den Besuchen der Ehehygienegeschäfte. Wir hätten das Zimmer praktisch nur zum Essen verlassen können, ein mit dicken dänischen Vorhängen verhangenes Zimmer. Ab und zu hätte ich den Vorhang gehoben und hinausgeschaut, um zu sehen, ob es noch regnete. So etwas wollte ich nicht mehr. Darum bat ich Henry, Irma und Klaus mitzunehmen. Wir würden einen Wagen mieten, Klaus würde fahren, und wir würden alles durch vier teilen. Ich liebe den Norden, Henry ohnehin. Aber den beiden, denen ich diese Landschaft, diesen Himmel erschließen wollte, ging der Dauerregen, der gleich hinter Itzehoe einsetzte, ganz schön auf die Nerven, wie sie sagten. Wir wußten nicht, was wir ihnen außer dieser Landschaft und dem Himmel zeigen sollten. Henry erzählte begeistert von den Nolde-Abendhimmeln, die er gesehen habe. Ich stimmte ihm zu, vom Fond aus, während Irma gelangweilt hinausschaute, immer wieder einnickte, und Klaus mit drohendem Gesicht und vorgeschobenem Unterkiefer in einem Wahnsinnstempo in den Regen hineinfuhr. Als wir bei Mogeltondern die Grenze passierten, regnete es immer noch. Irma und Klaus begannen nun, sich unverhohlen über Henry und seinen Nordtick lustig zu machen, sich auf seine Kosten zu amüsieren, und ich machte – vielleicht aus Erschöpfung – mit: »Wie schön!« rief Irma aus. »Ich danke dir für den schönen Tag«, rief ich in den undurchschaubaren Regen hinein, und dergleichen. Klaus machte Henry Komplimente, sein Aussehen betreffend, daß er heute besonders gut und gesund aussehe. Zwischen Ribe und Ejsberg simulierte Henry den ersten Ohnmachtsanfall auf dieser Reise. Er hat es mit uns nicht mehr ausgehalten. Es war im Grunde ein Todesanfall, Onkel stellte sich einfach tot. Irma machte Anstalten zu weinen und schöpfte schon Hoffnung. Ich sagte gar nichts, gab Henry dann aber eine schallende Ohrfeige unter dem Vorwand eines Reanimationsversuchs, denn ich sah genau, daß er nur die Augen zusammengekniffen und den Atem angehalten hatte. Die Watsche befremdete Irma und Klaus, die einen solchen Anfall noch nie erlebt hatten, nun doch – aber schon lebte Henry wieder auf, schrie *au!* und schmollte für den Rest des Tages, vielleicht länger. Dann, um wieder mit ihm ins Gespräch zu kommen, begann ich mit etwas Nebensächlichem: Ob ein ausgewachsener Mann von 1,52 in unseren Breiten schon zu den Zwergen zu rechnen sei oder nicht, wollte ich von ihm wissen. Es ging nicht um mich. Ich hatte gelesen, daß Heiner Müller, der Dramatiker, kaum die 1,50 überschreite (ich hatte ihn mit 1,53 in meiner Liste). Das war von seinen Feinden geschickt lanciert. Aber Onkel wollte sich dazu nicht äußern. Er schmollte. Wir fuhren an jenen Tagen immer einfach weiter, schien mir, ich erinnere nur Wäldchen, Häuschen, Wäldchen und den Wind, den ich über die Kornfelder streichen sah. Im nachhinein wird alles schön bei mir, und die Reise kommt in der Erinnerung ans Ziel. Heiner Müller! Der Kopf war alles, dieser imponierende Kopf, auch er hatte sich verbeten, im Stehen fotografiert zu werden, dieser imponierende, aber irreführende Kopf, was die Proportionen angeht! So habe ich auf Onkel eingeredet, der simulierte aber ein leises Schnarchen. »Du liebe Zeit! Wie hat ein solcher Mensch das Dritte Reich überstanden?« wollte Irma, an unserem Etappenziel angekommen, wissen, abends, als sich Henry schon zurückgezogen hatte und ich mich noch an ein paar mitgebrachte Bierdosen auf dem Zimmer von Irma und Klaus hielt. *Wenn ich das wüßte!* Alle drei hatten wir uns wieder beim Abendessen über unseren Onkel ärgern müssen. Er hatte uns eingeladen, dann aber, als es ans Zahlen ging, ging er auf die Toilette und kam erst nach einer halben Stunde wieder. Oder kam er gar nicht mehr, verschwand mit einer Migräne aufs Zimmer, ich habe es vergessen. Die beiden wußten wenig aus Henrys Leben. Gerade soviel, daß er zweimal verheiratet war und sich tagsüber als Witwer aufspielte. Seine erste Frau war fünfundzwanzig Jahre älter und Sängerin, Imma van Eulenburg, eine nationalsozialistische Holländerin, pompöse Heirat 1933, von der ich nur die Fotos kenne. Von der zweiten Frau weiß ich nur, daß es sie gegeben hat. Ob er je in der Partei war, weiß ich nicht. Beim

Ausräumen fanden wir keinen Hinweis außer einer Anstecknadel des NS-Akademikerinnenbundes und eine Hitlerbibel. Kein weiteres Zeichen der Verstrickung, wenn ich von Mystifikationen und Anekdoten absehe: da mußte er Frau Heidegger helfen, die Hakenkreuzfahne vor der Hütte zu Putzlappen zu verarbeiten, schwarze, rote und weiße Putzlappen, die noch bis in die sechziger Jahre vorhielten, Wischmaterial für die Wirtschaftswunderzeit, kaum waren sie fertig, standen auch schon die Franzosen vor der Hütte. »Die schlimme Zeit«, sagte er. Darüber konnte man mit Henry nicht sprechen. Ich weiß gar nicht, wo er sie verbracht hat. Es muß doch in Berlin gewesen sein? Fünfundzwanzig Jahre älter und aus dem Mezzofach: Imma hat man damals hofiert, wohl eine der wenigen arischen Mezzi, und Onkel, na ja: die haben genau gewußt, was los war, die haben das Spiel doch durchschaut. Zur Hochzeit bekamen sie MEIN KAMPF geschenkt: MEIN KAMPF für eine fünfzigjährige Dame und einen fünfundzwanzigjährigen, damals noch jungfräulichen Jüngling! Muß ein tolles Ehepaar gewesen sein, Imma zudem einen Kopf größer. Zwei Schlafzimmer, man besuchte sich zum zweiten Frühstück. Zeitlebens per Sie. Henry hat sich auch nur durchs Leben gemogelt. Zehrte in der zweiten Lebenshälfte davon, als doppelter Witwer zu gelten. Immer hat er sich mit Frauen umgeben, ja verziert. Mit Imma in der Königsloge, mit Imma bei der Rennwoche in Iffezheim, mit Imma beim Gauleiter, mit Imma im Palais Schaumburg. – Das Bier hatte mich in Fahrt gebracht. Ich beschrieb Henry als Menschen, der schon früh aufgegeben haben muß, viel früher als wir! »Ihr habt doch noch gar nicht aufgegeben, sowenig wie ich! – Ihr dürft niemals aufgeben! Und wenn ihr Hilfe braucht, kommt ihr zu mir!« rief ich in einem Anfall von Sentimentalität aus. – Als ich so sprach, mit Klaus und Irma durch das Sakrament des Alkohols verbunden, hatten wir alle Tränen in den Augen. Wir versprachen uns, daß wir füreinander da sein wollten und schon da waren. »So weit wie bei Henry darf es nicht kommen! – So tief dürfen wir nicht fallen!« stimmte Irma an, nun irgendwo zwischen Singen und Weinen. Klaus fragte, ob noch Bierdosen da seien.

Bei Bier, später Wein, haben wir uns die Welt, uns selbst und besonders Henry erklärt. Ich war froh, daß ich nun in Freiburg ein paar Menschen hatte, mit denen ich über Henry reden konnte, wenn auch so. Daß Irma und Klaus in meine Nähe gezogen sind, bedeutete für mich einen *echten Fortschritt,* eine entscheidende Verbesserung der sogenannten Lebensqualität, ganz ähnlich müssen die Waldshuter empfunden haben, als die erste Aldifiliale eröffnete und von da an keiner mehr nach Lörrach fahren mußte.

Henry hatte wohl nicht das Glück, die richtigen Menschen zu finden. Dann hat er aufgegeben. Ich weiß noch, wie er damals in Paris, im *Hôtel du Theâtre* unten anrief, der Garçon möge nun bitte das Frühstück heraufbringen. Dann hörte ich die dumpfe Stimme des Portiers: »Oui, Madame!« Henry überspielte das. Sein Leben als *Madame:* Ich glaube, er hat *es* kein einziges Mal in seinem Leben umsonst bekommen. Es kostete immer mehr, als es ihm brachte. Und kein einziges Mal stieß er auf einen Menschen, der ihn begehrte, wie er ihn begehrte, berührte, wie er ihn berührte, sagte, was er sagte. Niemand hat zu ihm *ich liebe dich!* gesagt – die Mutter, die ihm diesen Satz wohl ins Ohr geflüstert haben mag, als Henry noch gar nichts verstand, läuft hier außer Konkurrenz. Niemand, der von sich aus gesagt hätte, daß er ihn *liebe!* Nur solche, die dafür bezahlt wurden, haben es gesagt. Es kostete möglicherweise hundert Mark extra. Daß irgendwo auf der Welt eine Kreatur herumlief, die bei vollkommener Dunkelheit oder im

Rausch *Du bist eine geile Sau!* ausgerufen hätte, halte ich für ausgeschlossen, das kommt wohl in seinen Erinnerungen nicht vor. Niemand, der ihn so gerühmt, beschrieben, definiert haben wird. Ihm blieben als Ausweg nur die Inserate in den Magazinen, Antworten auf Anzeigen: *Alter und Aussehen egal!* Was aber war vorher, als es solche Anzeigen noch nicht gab? So ein Mensch hatte ja wohl Toilettenverbot in den Bahnhöfen der Deutschen Bundesbahn. (So etwas gibt es! Verlangen Sie die Hausordnung der DB!) Und dazwischen das tägliche Leben: die Gespräche unter Ordinarien, die Seinsfrage, die Besuche von und bei Ortega y Gasset und Heimito von Doderer, die Ordensfeste in Heidelberg, bei den Alt-Tübingern. Zum Mittagessen beim Bundespräsidenten. Am Abend desselben Tages vielleicht aber noch die abgefrorenen Füße in einem der Toilettenhäuschen von Bonn – oder bei Tom im aufwendigen *House of Boys.* »Ich weiß noch«, sagte ich, mit einem Unterton von Sensationslust, »wie Henry damals in Budapest – noch zu Zeiten des Eisernen Vorhangs! – im Gellertbad wegen Erregung öffentlichen Ärgernisses an den Badegästen vorbei abgeführt worden ist! Carstens persönlich hat ihn heraustelefonieren müssen.« So ich damals bei dem nächtlichen Gespräch bei Bier und Wein, und zuletzt holte Klaus noch eine Flasche Aquavit in der Rezeption, auf die Rechnung von Onkel.

»Man muß Mitleid haben!« kommentierte Irma, und Klaus: »Hauptsache, er zahlt den Aquavit!«

Henry wollte *unbedingt* noch ins Museum für angewandte Kunst, um die Artschwager-Ausstellung sowie die neue begehbare Stahlplatten-Installation von Serra zu sehen. Er wollte nur hin, um den Kopf zu schütteln, um auflachen zu können wie bei Beuys. Er wollte ja nur im Vorbeigehen *Tapete! Alles Tapete!* ausrufen, zu mir gewandt, aber für die Welt bestimmt. Als ich einmal mit ihm vor dem Beuys-Schlitten stand, einem Kinderschlitten, wie ich ihn auch einmal gefahren habe, mit einer Filzdecke darauf, einer Schnalle drumherum und einer Taschenlampe daran, sagte er gar nichts, schüttelte demonstrativ den Kopf und lachte. Ich schüttelte den Kopf und lachte auch, weswegen ich mich heute noch schäme. Denn Beuys, das kann man sehen, wußte, was Kälte ist.

Wußte auch, was Nacht ist und Fremde! (Dies trug ich am Abend desselben Tages in mein Notizbuch ein, und daß ich aus reinstem Opportunismus mitgelacht und den Kopf mitgeschüttelt hatte, trug ich auch ein, um mich von dieser Schande freizuschreiben.) Per Zufall hatte er, kurz bevor wir zum Schubertring aufbrechen wollten, im Café Schwarzenberg die KURIER-Schlagzeile gelesen: MANN UNTER KUNSTWERK BEGRABEN: TOT. Im Museum für angewandte Kunst sei ein Besucher unter einer zusammenkippenden tonnenschweren Stahlplatte, die als Kunstwerk des Amerikaners Richard Serra aufgestellt gewesen sei, begraben und getötet worden. Ein weiterer Besucher habe beim selben Unglück noch das Bein verloren. Es hätte auch der Kopf sein können! dachte ich. Also, wenn schon, dann lieber das Bein, das wohl wenig später beim chirurgischen Abfall landete. Henry meinte, die Geschichte mit dem Bein wäre noch grauenhafter als ein kurzer und schmerzlicher Tod unter den Serra-Stahlplatten. »Das lassen wir ausfallen!« – Es wäre der letzte Besuch eines Museums für angewandte Kunst gewesen.

Da Dänemark ein Reinfall war, Irma gesagt hatte, daß sie unter keinen Umständen noch einmal mit Henry ins Ausland fahren wolle, wo ich doch schon wieder umkippte, und aus Dänemark längst eine freundliche Erinnerung geworden war, stellte ich weitere Reisepläne bis zum Sommer zurück. Obwohl wir eigentlich das ganze

Jahr Zeit gehabt hätten wegzufahren, mußten es die großen Ferien sein. Henry allerdings wollten wir nicht mehr dabeihaben. Ich hatte ihn so gefragt, daß er nur *nein* sagen konnte, daß er nur abwinken konnte (ich kam ihm mit Schwanenstadt! Mit einem Prospekt aus Schwanenstadt). Er sagte: »Fahr du mal mit Irma und Klaus!« – Klaus konnte nicht, weil er im Frühjahr bei einer privaten Tierversuchsanstalt als Aushilfspfleger untergekommen war. Also blieb Irma – und meine Sehnsucht, Freiburg zu verlassen, irgendwohin zu fahren, wo es warm und billig war, meine ungestillte, unstillbare Reiselust. Klaus hatte nichts dagegen, daß Irma mit mir fuhr. Sie brauchte Erholung – und er auch. Henry sagte, er habe von Schwanenstadt viel gehört. Er könne Schwanenstadt nur empfehlen. Ich hätte mit Schwanenstadt eine ausgezeichnete Wahl getroffen. Näheres konnte er mir aber nicht sagen. Eigentlich sah er es gar nicht gern, daß wir wegfuhren. Ich traute mich von Jahr zu Jahr weniger wegzufahren. Es konnte ja jederzeit etwas passieren mit Henry, ich mußte abrufbar sein. Leider ist nie etwas passiert. Es waren nur Ziele möglich, die im Sechs-Stunden-Bahn-Radius entfernt waren. Flugreisen konnte ich mir nicht leisten. Die *großen Reisen* hatte ich mir für später aufgespart. Dennoch haben Irma und ich je zwanzig Mark von Henry bekommen, *um einmal richtig essen gehen zu können.* Wir hatten Schwanenstadt gewählt, weil wir dort billiger leben konnten als in Freiburg. Von den sogenannten Lebenshaltungskosten her hätte ich eigentlich für immer nach Schwanenstadt ziehen müssen. Hinzu kam die Luft. Die Stadt lag schon halb im Gebirge, nur noch halb in der Ebene davor.

Klaus hätte seine Frau niemals mit einem anderen Mann wegfahren lassen. Doch Irma hat wahrscheinlich, was mich angeht, von *Tomate* gesprochen. Dann hat sie von mir als ihrem *nächsten Verwandten* gesprochen; und vielleicht hat sie auch gesagt, ich sei schwul, was ich unerhört fände, zumal sie ganz genau wußte, daß dies nicht stimmte. In Schwanenstadt brachte sie dann das gewisse Kunststück fertig, keinen Schritt ohne mich zu machen, und doch den Eindruck zu erwecken, ich stelle ihr nach, was ihr eigentlich lästig sei. Ich hatte mit ihr abgesprochen, daß sie, unabhängig von Klaus, sich durchaus das eine oder andere gönnen dürfe. Da ich immer in ihrer Nähe war und mit ihr aufkreuzte, war es nicht ganz einfach für sie, auf ein Abenteuer zu stoßen. Allein in einer Bierbar zu sitzen, traute sie sich nicht. Immer mußte ich mitgehen. Und dann hat sie jedesmal, wenn ich auf der Toilette war, mit einem der Gäste Kontakt aufgenommen, jedesmal war der Nachbar schon aufgerückt und sie auf einen Drink eingeladen, wenn ich zurückkam. Irma hat immer gewartet, bis ich einmal nach draußen mußte, und dann hat sie wohl durchblicken lassen, ihr Begleiter sei schwul – hat so geschaut – hat abgewinkt, als der Herr auf mich zeigte – oder hat dieses unmögliche Wort gar in den Mund genommen, wenn ich einmal auf einer dieser immer verheerenden Toiletten, die ich schon von Thomas Bernhard her kannte, war. Schwanenstadt lockte, nebenbei, auch mit der Aussicht, eine Beerdigung im Salzkammergut mitzumachen und an die herrlichen Konduktsemmeln zu kommen, von denen Bernhard berichtet. Ich habe viel Thomas Bernhard gelesen, und mein Appetit auf Konduktsemmeln war mit den Jahren immer größer geworden. Ich nahm mir vor, die Traueranzeigen in der Lokalzeitung zu studieren, mir die Traueradresse aufzuschreiben, den Trauerort zu notieren, die Trauerzeit, mich dann vor dem Trauerhaus aufzustellen, mich in den Trauermarsch einzureihen und mit dem Trauerzug loszumarschieren und dabei mit der Trauergesellschaft den Rosenkranz zu murmeln und mich vor dem offenen

Trauergrab aufzustellen und abzuwarten, bis ich an der Reihe wäre, mit dem Trauerwedel das Trauerweihwasser zu geben. Aber dann! Hinübermarschiert wären wir, Irma und ich, die freilich hätte dabeisein müssen, ins Wirtshaus, um an die Konduktsemmeln zu kommen.

Ich habe dann, in Schwanenstadt, auch manches Mal daran gedacht, ihn zu besuchen. Mit dem Postbus nach Ohlsdorf hinüber zu fahren und einfach zu klingeln. Dann hätte er geöffnet, und wir hätten zusammen einen Most getrunken. Davon träumte ich. Und mein Unglück in diesen Tagen rührte daher, daß wir uns nicht zum gemeinsamen Mosttrinken gefunden haben, und der Ferkelhändler oder Heidegger hätte der Dritte im Bund sein müssen! Zum Glück habe ich nicht geklingelt. Er hätte doch nicht aufgemacht, wäre doch nur hinter dem Vorhang gestanden und hätte mich vielleicht sogar ausgelacht. Die Imelda Marcos von Ohlsdorf mit den fünfundfünfzig Paar Gummistiefeln, den achtundsiebzig Tirolerhüten, Totschlägern, Geweihen in der Herrschaftsgruft von Ohlsdorf. Ich sagte mir: »Unvorstellbar, daß Peter Handke oder Martin Walser solche Tirolerhüte tragen oder auch nur besitzen! Die sind doch auch vom Fach!« Ich tröstete mich damit, daß die Wallfahrt von Schwanenstadt aus mit dem Postbus ein Fehler gewesen wäre.

Als Hauptproblem in Schwanenstadt stellten sich bald die Nächte heraus. Irma, die ich – weiß Gott! – geliebt habe, wenn auch nicht so, wie sie wollte, stand schon in der zweiten Nacht an meiner Bettkante. Beim *Check-in* in unserer Pension, einem eher kleineren Haus, im unteren Sterne-Bereich angesiedelt (vielleicht hatte es am Ende gar keinen?), hatte Irma die Dame von Welt gespielt. Sie fragte nach zwei Zimmern mit Verbindungstür. Die Verbindungstür gab es nicht. Ich war erleichtert. Ich stellte mir viele Fragen, gar nicht gegen Irma gerichtet, die ich ja geliebt hätte: Vielleicht wollte sie gar nicht zu mir, sondern zu meinem Schwanz? Hat sie sich mit ihm allein, und nicht mit mir, vergnügt? Ich, der ich doch nicht einmal einen Meter von meinem Schwanz entfernt lebe? Bin ich etwas zu hart? Sind das Beichtspiegelfragen? War ich nicht einmal in der Selbst- und Gewissenserforschung geübt? Machte ich nicht mit? Kam ich nicht von unten her mit meiner Zunge, meinem Spürhund auf dem Weg zu ihr? War da nicht die ganze Misere mit der SCHUFA, mit Henry, das ganze tägliche Leben vergessen? War es ein Liebesspiel? Spielten wir Liebesleben? Nicht Liebe, nicht Leben? Doch – ich hatte damals nichts als Angst. Der sogenannte Geschlechtsverkehr hatte Geschlechtsverkehrspanik ausgelöst, jene spezifische Angst, auf eine ganz bestimmte Weise in diesem Verkehr umzukommen: einfach zu verschwinden, wenn ich *drinnen* war. Ich hatte das Gefühl, in einem Loch zu stecken. In einem Loch eingesperrt zu sein. Eingelocht zu sein in einer Art Nichts, das Gefühl, daß er oder ich selbst in einer Art Schwitzkasten steckte, in einem physisch-metaphysischen Schwitzkasten. Es war Todesangst. Ich hatte das Gefühl, diesem Loch nicht gewachsen zu sein.

Mein Verhältnis zu Frauen führe ich darauf zurück, daß ich nicht aufgeklärt worden bin, bis zum heutigen Tag bin ich nicht aufgeklärt worden, und bis zum heutigen Tag weiß ich nicht, *an welchen Tagen des weiblichen Zyklus die Möglichkeit einer Schwangerschaft am größten ist.* Ich gehöre zur Gruppe der Neun- bis Vierzehnjährigen, was die Aufklärung angeht (im Vergleich mit den Ergebnissen von Noelle-Neumann). Ich war, zum Beispiel, gar nicht auf meinen sogenannten ersten Samenerguß vorbereitet: das hat die katholische Kirche zu verantworten. Natürlich auch das *Rößle,* eine Wirtschaft mit Metzgerei bei Waldshut, in die ich hineingeboren wurde und wo ich meine jungen Jahre verbracht habe. So kam es, daß ich nicht zu den neunundsechzig Prozent gehörte, die *das erste Mal* als *etwas Schönes* wahrgenommen haben. Ich erschrak nur und dachte, das ist jetzt die Strafe dafür, daß du eine Todsünde begangen hast! Genausowenig wäre ich auf meine *erste Regelblutung* vorbereitet gewesen – oder auf meine Schwangerschaft. Als es soweit war, war natürlich naturgemäß alles *ungeschützt.* Von der Pille hatte ich gehört. *Pariser* waren Scherzartikel, die das Herrmännle, mein Großonkel, in Witze einbaute, die ich nicht verstand.

Schon als wir am ersten Abend durch den Kurpark gingen, Arm in Arm, blickten die – meist älteren – Kurgäste anerkennend hinter uns her, oder sagten uns gar: »Was für ein schönes Paar!« ins Gesicht, wenn wir auf einem der Bänkchen ins Gespräch gekommen waren. Aber dann mußten wir irgendwann aufstehen, und dann wurde der vorteilhafte Eindruck womöglich relativiert. Irma liebte es, ganze Nachmittage mit mir eingehakt in der Stadt umherzugehen, einer oberösterreichischen Provinzstadt, dies auch noch im Gleichschritt, was mir nicht leichtfiel, auch weil Irma etwas längere Beine hatte als ich, der mit seinen Bertullis kaum Schritt halten konnte; der untere Teil meiner Beine war ja künstlich, eigentlich Gehwerkzeug. Und dieses *Zwei-und-Zwei* habe ich schon gar nicht leiden können. Oft gingen wir so auch zur Minigolfanlage, wo sie den Platzhirschen mit Minigolffachausdrücken, die sie aufgeschnappt hatte, imponierte, sie belehrte mich, ließ aber, aus ihrem guten Herzen heraus, durchblicken, daß ich dafür auf anderen Feldern glänzte. Und dann noch der Gang zu den Wassertretanlagen, damit war Schwanenstadt ausgeschöpft. Ach, und die Ausflüge mit den oberösterreichischen Omnibusbetrieben. Der Wallersee war einer der langweiligsten überhaupt. Und was machten wir uns aus diesen Bergen? In Ischl waren auch die Imbißbuden und die Mülleimer in Kaisergelb gestrichen. Wir gingen etwas vor der Spielbank auf und ab. Irma hielt nach Prominenten aus den Vorabendserien und nach Talkshowgästen Ausschau.

Aber das Hin und Her zwischen Wassertretanlage und Minigolf, das gegenseitige Vorzeigen der Fotos, wenn man abends mit den Urlaubsbekanntschaften zusammensaß: das konnte doch nicht alles sein! Unendliche Kaiserschmarrenabende, dann die Biertheke, Irma in der ersten Reihe am Tresen... Da ließ Irma durchblicken, daß sie eine Professorennichte sei. Das Foto von Henry zeigte sie aber nicht. Wenn wir mit den Finckes einen Abend dagesessen waren, gegessen und alles, was wir wußten, erzählt hatten, wenn wir das Äußerste aus uns herausgeholt hatten und nun sprachlos waren, rettete uns Irmas Taschenfotoalbum, sie zeigte das Foto, auf dem ich mit Heidegger zu sehen bin. Aber die beiden haben ihn nicht gekannt, glaubten nur, diesen Namen *schon mal irgendwo gehört* zu haben. Ein Religionsstifter? Wir waren empört, ließen noch ein paarmal das Wort *weltberühmt* fallen und sind dann verstummt. Diesen Leuten war nicht zu helfen. Und dann langweilten wir uns noch etwas.

Noch wohnte Henry auf dem Lorettoberg. Die trotz eines *alten Mietvertrages* nicht unbeträchtliche Miete wurde über eine sogenannte Mischfinanzierung bestritten. Ich schätze, daß etwa ein Drittel aus den Erträgen des Basler Kontos resultierte, ein Drittel über Kunstverkäufe von der Hand weg – und das letzte Drittel über den Botschafter; Geld, das Henry wohl in der Schweiz hortete. All die Jahre über hatte ich keinen Einblick. Er ließ es nicht zu, obwohl er überhaupt nichts verstand von Geld, duldete keinen Einblick, so wenig wie in seine Küche. Schade um das Haus, das ihm zwar nicht mehr gehörte, aber doch von ihm eingerichtet war, schöner, als ich das sonst irgendwo gesehen habe. Henry hätte lieber Innenarchitekt werden sollen. Genauso schade war es um die anderen Häuser, die ihm noch gehört hatten. Das Kinderzimmer hatte er hinübergerettet, es war bis zuletzt sein Schlafzimmer, einst von Riemerschmied entworfen. Das Bett freilich war das Bett der Mutter. Was vom Gesamtkunstwerk, das das Elternhaus einst gewesen war, zum fahrbaren Gut gehörte, hatte Henry von Haus zu Haus mitgeschleppt. Er hat sich kein einziges Möbelstück selbst gekauft, ein Leben lang nicht, auch aus Geiz nicht.

Ich habe mich im Lorettoberghaus sehr wohlgefühlt, es war, wenigstens zu Beginn, ein wirklicher Unterschied zu Waldshut-Tiengen. Alles paßte zusammen, war aufeinander abgestimmt, wenigstens sah es so aus. Das feine, wenn auch oftmals beschädigte und kaum einmal vollständige Service, aus dem man den Tee trank, der in einer Küche, die ich erstmals in Verbindung mit dem Umzug betreten habe, *zubereitet* wurde, hat mir imponiert. Zum Glück habe ich *die Küche,* solange ich aus ihr beliefert wurde, niemals betreten. Henry hat keinen hineingelassen. Wie sich herausstellte, war das auch gar keine Küche, sondern eine Art geräumige Rumpelkammer, in der auf einem marmorierten Riemerschmied-Waschtisch eine einzige, total verschmutzte Kochplatte stand, von der ich nicht sagen kann, ob sie nur verschmutzt oder auch rostig war. Und daneben der Tauchsieder... Jetzt weiß ich auch, warum Onkel immer so lange brauchte, bis der Tee kam. *Er* führte das Warten auf die Kunst, Tee zuzubereiten, zurück, auf die englische Tradition. Wegen jeder Kleinigkeit mußte Henry zwischen *Küche,* Bad (wo der Wasserhahn war) und Schlafzimmer (wo die *trockenen Lebensmittel* deponiert waren) hin und her. Onkel hat mich sogar zum Essen eingeladen; und ich habe gegessen, was er da von der einen Kochplatte weg herbeigezaubert hat. Nein, durchaus nicht Risi-Bisi aus der Dose, niemals ein Leben auf Risi-Bisi-Basis, wie ich das anderswo kennengelernt habe, sondern etwas Feines, von dem ich allerdings nicht weiß, wie er es zuwege brachte und was es war. Der Griff der Messer war aus Jugendstilsilber, der Rest verrostet. Ich wunderte mich nicht weiter, denn in Waldshut war es, was die Eßkultur betraf, auch nicht gerade höfisch zugegangen. Das mag sich nun, seitdem einer meiner Brüder den *Goldenen Kochlöffel*, die Vorstufe zum *Gourmetlöffel*, bekommen hat, geändert haben. Alles da! wie mir Henry immer wieder versicherte, aber gesehen habe ich außer Einzelstücken, Austernmessern, Perlmuttgabeln, Gourmetlöffeln nichts. Eine Putzfrau gab es auch, aber die hat kapituliert, was die Küche angeht, in der alles fehlte, was eine Küche zur Küche macht, so der Kühlschrank, der Spültisch und das fließende Wasser. Dennoch hat Henry immer von seiner *Küche* gesprochen. Einmal haben Nachbarn, die von außen sahen, daß das *Küchenfenster* ganz schwarz war von irgendwelchen Fliegen und daß es rauchte, die Feuerwehr gerufen. Ich selbst mußte für ihn den Kammerjäger kommen lassen, weil eine mir unbekannte, wohl sehr seltene Ungezieferart die Wände emporkroch. Dazu kamen die harmlosen, aber doch sehr unappetitlichen Mehlwürmer... hinzu auch die Angst, das Haus könnte irgendwann abbrennen. Kurzum, es war unmöglich, Henry, der nach seinem siebzigsten Geburtstag noch Jahre hier gelebt hat, obwohl er nun, wie er sich ausdrückte, nicht mehr *empfangen* konnte, auch unter Einschaltung eines Putzdienstes, eines ambulanten Pflegedienstes und eines sogenannten Menu-Bringdienstes *(Essen auf Rädern)*, in seinem Haus zu halten. Und wie es in der sogenannten Bibliothek aussah! In einer schönen Jugendstilvase schwamm eine Maus, das heißt, sie trieb auf der Oberfläche. Henry liebte an sich Schnittblumen.

Vielleicht bekommt er bald einmal einen Schlaganfall oder fällt aus irgendeinem anderen Grund ins Koma, dachte ich, obwohl ich ja die für mich düstere Prophezeiung der Ärztin (»Ihr Onkel wird spielend hundert!«) im Ohr hatte. Ich hatte ihm schon in den letzten Monaten, in denen sich sein Appetit noch gesteigert hatte, schlaganfallfördernde Lebensmittel mitgebracht; auch animierte ich ihn zum Trinken der *Echten Kroatzbeere* und von Eierlikör, weil ich dachte, dies könnte einen Herzinfarkt auslösen, und trank mit, ich Dummkopf! Onkel lebt noch immer und hatte bisher auch keinen wirklich ernsthaften Zusammenbruch, nur simulierte, so daß ich in dieser Richtung keine Hoffnung mehr haben durfte. Erst als mir nichts anderes mehr übrigblieb, die Nachbarn schon mit einer Verwahrlosungsklage drohten und auch gegen mich vorgehen wollten, weil sie mich für den Verantwortlichen hielten, habe ich mich aufgemacht, vorübergehend eine neue Bleibe zu suchen.

Daß Henry so geizig war, empörte mich zusätzlich. Freiwillig bekommen habe ich in der Lorettobergzeit so gut wie nichts. Immer mußte ich betteln, dramatisieren. *Es ist ungeheuer, wie sich dieser Mensch mit meinem Elend arrangiert, einfach darüber hinweglebt und glaubt, mich mit einer Freikarte zu einer Maurizio-Kagel-Uraufführung, die er an mich weitergibt, und mit seinem FÜR DICH IST GESORGT! am Leben halten zu können! Dabei sagt er doch, ich sei das Wichtigste auf der Welt für ihn.* (In meinem Tagebuch, Jahresrückblick 1979.)

Dann stellte ich um. Ich rächte mich oder versuchte es zumindest, indem ich vom 1. 1. 1980 an beschloß, mir selbst zu helfen. Und zwar so, daß ich alles, was mir wertvoll schien und transportabel war, mitlaufen lassen wollte. Ich riskierte dabei immer auch einen sogenannten Anfall von Atemnot. Und außerdem bin ich meist dabei reingefallen, so wie mit dem Brief von Albert Einstein. Es war zwar keine Kopie, das konnte ich selbst feststellen, indem ich anhand eines mir unwichtig erscheinenden Wortes die Wasserlöslichkeit der Schrift mit meiner Spucke überprüfte. Es handelte sich *nur* um eine Abschrift, die war aber von Heidegger. Das hätte für eine Woche Tunesien im Überraschungshotel gereicht. Nachdem mir Stargard, die führende Autographenhandlung, den *falschen* Einsteinbrief als *unecht* zurückgeschickt hatte, habe ich ihn aus Wut weggeschmissen. Denn ich kannte die Heideggerhandschrift noch gar nicht, das heißt, ich konnte sie von den anderen noch nicht richtig unterscheiden. – Später erfuhr ich von Henry, daß sich unter seinen Kostbarkeiten auch die Abschrift eines Einsteinbriefes befinde, die Heidegger angefertigt habe, *ein Jahrhundertbrief,* in dem Einstein Heidegger gegenüber die Relativitätstheorie zurücknehme, widerrufe und als *Schwindel* bezeichne. Er, Henry, habe den Brief mitlaufen lassen, als er bei Heidegger zu Besuch war, gestand er mir einmal nach ein paar Gläsern *Echter Kroatzbeere.* Das Original sei verloren. Das hat mir Henry, eines schlechten Gewissens wegen, aber wahrscheinlich vor allem, um sich bei mir aufzuplustern, als *Geheimnis* anvertraut.

Henry besaß auch ein – wenn auch kleines – Aquarell von Cézanne. Eines Tages stand er – scheinbar – in einem Anfall von Rührung auf und schritt auf das Bild, dem er den Titel SOUS BOIS gegeben hatte, zu, blieb etwas zu theatralisch davor stehen, stumm, nahm es dann von der Wand und lief geradewegs auf mich zu, um mir zu sagen, daß dieses *Blatt* mir *zugedacht* sei. »Es soll bei dir sein!« sagte er, und dann eröffnete er mir seinen

Plan: Das *Geschenk* hatte er sich so gedacht: Er wollte lediglich fünfzig Prozent der bei Kornfeld erlösten Summe, die ich auf sein Schweizer Konto einzahlen sollte. Zwar sei durch meinen Namen das Bild sozusagen *anonym* geworden. Die Provenienz sei nach Henrys Auffassung verlorengegangen und hätte den Rang und die zu erzielende Summe wohl geschmälert. Wenn ich heute darüber nachdenke, war Onkels angebliches Geschenk eine – nicht allzu – raffinierte Spekulation auf Profit. Ich wunderte mich, daß Henry, der nun wirklich nicht rechnen konnte, wenigstens diesen Geschäftsinstinkt besaß. Er wußte wohl vom Standortvorteil Kornfeld (die höchsten Preise), vom günstigen Kurs des Franken, dazu kam die Anonymität, der Gewinn aus der Steuerhinterziehung. Ich habe alles geschafft. Aber in Bern wollte man von meinem Cézanne nichts wissen. Es handelte sich um eine Fälschung, sagte man mir. Ich hatte wohl Glück, nicht angezeigt zu werden. Vielleicht aber wurde der Cézanne auch nur deswegen als Fälschung zurückgewiesen, weil *ich* ihn angeschleppt hatte. Vielleicht war er echt. Vielleicht haben die Experten mich gemeint. Vielleicht haben sie mich mit dem Bild verwechselt. – Daß die Ware meldepflichtig gewesen wäre, wußte ich auch nicht. Ich mußte damals noch keine Steuererklärung abgeben. Heute muß ich jedes Jahr einmal erklären, daß ich nichts habe und voraussichtlich auch in Zukunft nichts haben werde. Es ist immer ein Offenbarungseid, zu dem mich dieser Staat nötigt, wo, wie Klaus sagt, die Deutsche Bank regiert und es statt der Geheimpolizei nun die Steuerfahndung gebe, die praktisch mit denselben Mitteln *(Abholen im Morgengrauen)* arbeite.

Daß der golddurchwirkte Shogunteppich schließlich auf meinem Ford-Escort-Rücksitz landete, war zwar nicht direkt Mundraub (wie ich das Mitlaufen-Lassen entschuldigen wollte), aber auch eine Konsequenz aus meiner Notlage.

Es war zunächst eine Art Torschlußpanik: irgendwann würde es zu spät sein, sagte die Frau in mir. Ich war schon so weit im Leben vorangeschritten und hatte immer noch keine Kreditkarte. Eines Tages, beim Tee auf dem Lorettoberg, nahm ich mich zusammen und fragte Henry, ob er mir *in einer vielleicht doch lebenswichtigen Sache* weiterhelfen könnte. Er hatte mir ja schon zu einem Konto bei der Deutschen Bank, *seiner* Bank, wie er sagte, weil sein Großvater Mitbegründer des Instituts war und er selbst zwei Semester Volkswirtschaft in Köln studiert hatte und von da Abs duzte, verholfen. Ich hatte an sich von diesem Institut, vor allem in meinen Nicaragua-Kreisen, nur Schlechtes gehört. Aber ein Konto war ein Konto. Auf die Deutsche Bank war ich gar nicht gekommen. Ich dachte, daß man mich in diesen lebensbejahenden, hellen Schalterräumen, die auch etwas Sakrales hatten, einfach nicht haben wollte, so wenig wie Obdachlose und andere Randfiguren. Aber dann ist Henry doch von sich aus eingesprungen. Er sagte, daß ein anständiger Mensch ein Konto bei der Deutschen Bank brauche, und er hat sich gleich einen Termin beim Direktor der Freiburger Filiale geben lassen, der auch ein Heideggerschüler war. Der hat die Sache nach unten weitergeleitet. Als wir da an einem Montagmorgen eintrafen, in der Deutschen Bank!, klopfte mein Herz. Ein netter Herr Schmidt hatte schon alles vorbereitet – ich mußte praktisch nur noch unterschreiben. Ohne Henry hätte ich dieses Konto niemals bekommen. Arm in Arm waren wir aufgetreten, ich als seine Stütze, so sollte es nach außen hin aussehen. »Wir wollen für diesen jungen Mann neben mir ein Konto eröffnen!« – Herr Schmidt wußte schon Bescheid. Henry kam damals mit der Autorität seines Titels und seines Pelzmantels noch überall hin. Titel und Adelsprädikat wogen schwerer als sein Erscheinungsbild, das schon damals ein klassischer Fall für angewandte Schalterraumhygiene gewesen wäre. »Der Herr Direktor erwartet Sie!« sagte Schmidt. »Ich darf Sie anschließend nach oben geleiten!« Ein Konto auf meinen Namen zu haben bedeutete mir eigentlich, als Mensch anerkannt zu sein. Dadurch, daß es dazu noch bei der Deutschen Bank war, fühlte ich mich wie geadelt – trotz aller Bedenken und der Angst, ich könnte von meinen Nicaragua-Leuten beobachtet werden, wie ich in der Filiale in der Bahnhofstraße verschwand. Dennoch: Ich fühlte mich wie noch einmal getauft, aufgenommen in die Gemeinschaft der Kontoinhaber, in die Deutsche Bankgemeinde.

Eine Kreditkarte besaß ich noch nicht. Dazu brauchte ich wieder einmal Henry. Er sollte für mich bürgen, da ich damals ja über kein sogenanntes *geregeltes Einkommen* verfügte. Durch einen einzigen Anruf beim Direktor hatte ich mir die Kreditkarte *erschlichen.* Wenige Tage später wurde sie mir zugeschickt, zusammen mit einem Begleitbrief und den Geschäftsbedingungen, die gleich in den Abfall kamen. Im Brief stand, was ich ja schon wußte, daß ich nun rund um die Welt Geld bekommen könnte, rund um die Uhr, bis zu vierhundert DM auf einmal. Das fand ich großartig. Auch hatte ich nun eine Geheimnummer, wodurch ich mich noch einmal aufgewertet fand, meine Würde in einer Zahl ausgedrückt.

Bald war ich wohl in den roten Zahlen, denn als ich eines Samstagmorgens hundert DM am Bankomaten holen wollte, wurde ich zum ersten Mal in meinem Leben mit dem Satz: *Sie haben schon verfügt! Vielen Dank* konfrontiert. Ich verstand nicht, schlich mich aber dann doch davon. Am Dienstag darauf hatte ich schon ein Schreiben der Deutschen Bank, in dem mir mit dem

Äußersten (ich glaube, sie meinten eigentlich den Tod) gedroht wurde, verbunden mit einem Ultimatum, die von mir widerrechtlich unter Überschreitung des Überziehungsrahmens getätigte Abbuchung innerhalb einer Frist von zehn Geschäftstagen auszugleichen. Der Brief stürzte mich abermals in Panik, in eine Angst vor dem Leben und dem Tod gleichermaßen, aus Angst vor letzterem dachte ich daran, mich von der Eisenbahnbrücke zu stürzen. Da ich mich aus einer Mischung von Feigheit und angeborenem Lebenswillen doch nicht zu diesem Schritt entschließen konnte, fuhr ich zu Henry, dem ich jenen Shogunteppich, mit dem er oft genug geprahlt hatte *(von meinem Urgroßvater aus Kyoto mitgebracht)*, von der Wand weg abschwatzen konnte. Was ich sagte, weiß ich noch genau: »Wir müssen diesen Teppich jetzt abstoßen, solange die Japaner kaufen!« Immer mußte ich schwindeln, mich nach oben schwindeln, mich ins Leben hineinschwindeln, mich durchs Leben mogeln, sonst hätte ich nie die Kreditkarte, nie den Shogunteppich bekommen. Das Sich-Hineinschwindeln in die Banken war ja noch verhältnismäßig einfach. Aus allgemeiner Geldgier werden ja die Angaben kaum einmal überprüft, auch ich nannte einfach eine Phantasiezahl, als Herr Schmidt nach meinem Einkommen fragte. An Geld zu kommen war trotz allem noch einfacher für mich, als einen Zentimeter dazuzuschwindeln.

Der Shogunteppich oder -vorhang: Ich sagte, ich hätte schon einen Käufer für ihn. Henry setzte sogleich einen präzise formulierten Vertrag auf, ob er juristisch korrekt war, weiß ich nicht, in dem er mir fünfzehn Prozent Verkaufsprovision einräumte, den Rest sollte ich auf sein Basler Konto schaffen. Zur Belohnung durfte er mir noch etwas übers Haar streichen und mich trösten. Ich hätte mich damals auch auf seinen Schoß gesetzt, aber das war gar nicht nötig. Als ich die Haustür hinter mir ins

Schloß fallen ließ, spätestens aber als ich in der Unteren Mercy-Straße angekommen war, etwa auf der Höhe des Hauses, vor dem Reinhold Schneider (2,05 m) auf einer Bananenschale ausgerutscht und gestorben war, war die Sache vergessen. Ich habe dann über die Kleinanzeigen der FAZ-Kunstmarktseite noch am selben Samstag einen Asiatikahändler ausfindig gemacht. Er wollte sofort kommen, nachdem ich ihm Provenienz und weitere Einzelheiten mitgeteilt hatte. Er kannte den Teppich aus der Literatur, ein lange vermißtes Stück, seit 1895 als *entwendet aus dem Kaiserlichen Palast in Kyoto* gemeldet. Wir haben dann ein Treffen in den Toilettenanlagen der Autobahnraststätte Wetterau für Sonntag siebzehn Uhr (Sommerzeit) vereinbart. Zwanzigtausend Mark hat er mir in bar ausgehändigt. Ich konnte der Sinnlichkeit der Erscheinung nicht widerstehen und nahm die Tausender gierig an mich. Noch nie hatte ich so viel Geld auf einmal gesehen. Es war ein Rausch. Obwohl es nicht nötig gewesen wäre, habe ich Henry für seine Hehlerware einen Anstands- oder Anerkennungs-Betrag von tausend Mark überreicht, Schweigegeld für mein Gewissen, und habe, während er im Bad war, den Vertrag, den er ohnehin vergessen hatte, an mich genommen und so aus dem Verkehr gezogen. Auch der Vorhang war vergessen. An seine Stelle habe ich das große Bismarck-Foto im schweren Rahmen, mit der Mutter auf seinem Schoß, gehängt, eine Lösung, über die Henry glücklich zu sein schien.

Ich war nun das erste Mal in meinem Leben, wenn auch nur vorübergehend, finanziell saniert. Es folgten einige Anschaffungen, über die ein anständiger Mensch ohnehin längst verfügte. Umgezogen bin ich nicht. Ich habe mich mittlerweile eingelebt. Übrigens, kaum war das DB-Konto ausgeglichen, kam auch schon der Anruf *meines* Anlageberaters. Er behauptete, für mich zuständig zu sein. Plötzlich war ich für die Deutsche Bank, die Welt, die mir doch gerade noch mit dem Äußersten gedroht hatte, in die Aura des Frischen, Liquiden, ja Erotischen und eigentlich Heiligen gerückt. Daß Geld sinnlich macht, wußte ich schon. Man bot mir diskret die Goldene Kreditkarte an.

Sechs Wochen nach dem überstürzten Verkauf des Shogunvorhanges auf der Autobahntoilette der Raststätte Wetterau konnte ich in der von Henry abonnierten FAZ auf der Kunstmarktseite lesen: SPITZENERGEBNIS IN NEW YORK. Darunter war mein Shogunvorhang abgebildet. Die herrliche Arbeit, die einst im Kaiserpalast von Kyoto entwendet worden wäre, was aber längst verjährt sei, brachte 657.000 Dollar, bei einem damaligen Kurs von 3,70! Auf dieser Welt gibt es keine Gerechtigkeit, und ich betete meinen Lieblingspsalm, daß Gott (mein Gott!) die Frevler ausrotten möge. Und auch die Deutsche Bank auslöschen, zerschmettern. Erst wollte ich selbst ..., ich ging wieder einmal ganz schnell und atemlos die Stufen hinauf, stadteinwärts, um die Deutsche Bank anzuzünden, sie irgendwie zu vernichten. Doch schließlich, fast am Ziel, überließ ich alles wieder einmal meinem Gott, meinem Strohhalm, der langsam der einzige wurde, je mehr ich mich in meinem Leben, soll ich *in meiner Sünde* sagen?, verstrickte. Ich bin immer ein guter Katholik geblieben. Ich habe immer aufrichtig bereut und bin nach meinen Transaktionen immer in die Kirche gegangen, habe Kerzen gestiftet, und am Sonntag besuche ich bis heute die Messe, gebe bei den Kollekten mehr als die anderen und kämpfe gegen das Leid dieser Welt an. Ist es nicht so? Von Gott rede ich hier eigentlich nicht. Daß ich streng katholisch und tief gläubig war, darf ich wohl sagen. Mir blieb ja nichts anderes übrig, einmal so auf der Welt! Und obwohl ich im Lauf meines Lebens mehrfach von ihm abgefallen war wie vom Leben und der Welt selbst, kehrte ich immer wieder zurück. Und geil war ich auch noch, trotz allem. Geil war ich, und an Gott geglaubt habe ich auch.

Als Henry noch auf dem Lorettoberg wohnte, hat er mir, um meinen Katholizismus in Schranken zu halten, oftmals abträgliche Meldungen, die katholische Kirche betreffend, Zeitungsausschnitte und Schlagzeilen, übergeben. Diese erinnere ich: *Priester verführt auf Pubtoilette nach Beerdigung Enkel des Toten.*

Das Jahr selbst hatte er nach dem Gourmetkalender eingeteilt, eine Abfolge von sinnlichen Genüssen, Erdbeerzeit, Ferreroküßchenzeit, Trüffelzeit – und leiblichen! Der Installateur war eigentlich nur gekommen, um eine Reparatur im Bad auszuführen. Dann aber ließ Henry ihn Arbeiten machen, die nicht nötig waren und auch den Finanzrahmen überschritten: Anschaffungen und Verbesserungen von zweifelhaftem Wert: Er ließ Sonnenkollektoren für das Dach des Hauses kommen, das ihm nicht gehörte. Er bestellte Ökowannen für den Garten, einen neuen Rollstuhl und eine Windmühle zur Stromgewinnung, und ich weiß nicht, was der Installateur des Sommers von 1980 noch für Ideen hatte. Er mußte sich in dieses Leben erst hineinfinden, erst lernen, wie man sich richtig auf den Schoß setzt, wie man mit seinem Arsch imponiert. Aber dann ist er doch zu seiner Frau zurückgefahren.

Ach, mein armer Henry! All diese Saukerle seines Lebens! Sie haben ihn ja nicht rangelassen! Sie haben die tausend Mark genommen, die dafür auf dem Nachttisch lagen, und haben den Hosenladen wieder zugemacht, noch bevor er gekommen war. Er hatte nichts vom Leben. Ein Herr von Geist sagte einmal, er möchte lieber gefickt als verstanden werden.

Henry war schon etwas ganz Besonderes. Es gab

Augenblicke, da hätte ich ihn am liebsten eigenhändig umgebracht. Zum Glück war ich immer nur ein Träumer, blieb es immer nur bei Plänen. Ich hatte eine Zeitlang daran gedacht, einen der Kosovo-Albaner, die am Bahnhof herumlungerten, wie ich annahm, anzuheuern, um diesen Onkel aus der Welt zu schaffen, bevor alles von diesem drohenden Pflegebett aufgefressen war. Wäre es nicht ganz einfach gewesen? Als Raub- oder Lustmord, eventuell als kombinierter Raub- und Lustmord getarnt, wäre doch keiner dahintergekommen, daß ein habgieriger Halbjurist dahintersteckt. Wäre mein Albaner (oder hätte ich lieber einen Rumänen nehmen sollen?) dann geschnappt worden, was ganz unwahrscheinlich gewesen wäre, hätte er ja sagen können, es sei reine Notwehr gewesen, wie das immer gesagt und gerne geglaubt wird. Reine Notwehr, denn Onkel habe ihn bedroht, sei zudringlich geworden, habe ihn zu abscheulichen Handlungen zwingen wollen. Und das Gericht hätte angewidert zugehört, den Armen zu drei Monaten Gefängnis auf Bewährung verurteilt und mit dem nächsten Flugzeug nach Belgrad oder Bukarest zurückgeflogen. Die Gerichtspsychologin hätte bestätigt, daß er keine andere Wahl hatte, als in die Küche zu eilen, um eine Bratpfanne oder ein Küchenmesser zu holen, um sich damit zu wehren und zu retten. Der Professor habe so fest auf ihm gelegen, daß er das Gefühl hatte, er solle erstickt werden, übersetzte der Dolmetscher, dachte ich. Zum Beweis würde ein Foto des zum Zeitpunkt der Tat zweieinhalb Zentner wiegenden Onkels gezeigt. Onkel und seinesgleichen waren in der sogenannten öffentlichen Meinung ziemlich weit unten angesiedelt. Die öffentliche Meinung wäre mein Kapital gewesen und auch die sogenannte Rechtsprechung. Mehr als ein halbes Jahr auf Bewährung wegen der Tötung eines aufdringlichen Homosexuellen als Notwehr hätte es keineswegs gegeben. Ein halbes Jahr später wäre mein Albaner zurückgekommen, und wir wären ein Bier trinken gegangen, und von den fünftausend Mark, die er von mir für seine Arbeit bekommen hätte, wäre ein Balkangrill eröffnet worden. Zum Glück ist es nicht soweit gekommen. Henry starb dann eines *natürlichen* Todes. Die Sache mit dem Albaner wäre doch nichts als eine weitere, dazu aufwendige Dummheit gewesen.

Es gab im Lauf der Jahre mehrere solcher *Phantasien.* Aus ganz verschiedenen Gründen: später, weil ich glaubte, daß er auf Dauer nicht finanzierbar wäre. Vor allem, wenn ich mit ihm zusammen war, kamen solche Einfälle, ob in Dänemark (ihn in die Nordsee zu stoßen – Onkel konnte wahrscheinlich nicht schwimmen), in Baden-Baden (ihn in die Caracalla-Thermen – 70 °C – zu stoßen) oder in der Schweiz (ihn in den Lago Maggiore zu stoßen, nachts, betrunken). So häufig, daß ich über mich selbst erschrak. Aber es war, sage ich zu meiner Verteidigung, durchaus eine soziale Regung dabei: Hätte man mit den sechstausend Mark im Monat nicht ein ganzes SOS-Kinderdorf in Afrika unterhalten können?

Henry war damals nicht der einzige, den ich hätte umbringen können, auch Menschen, die im Kino an der falschen Stelle lachten, Menschen, die den übergeschwappten Kaffee in die Tasse zurückschütteten, jene, die *unsere Oma* in die Todesanzeige setzten, Menschen, die mich fragten: »Und aus welcher Ecke stammen Sie?« und solche, die sagten: *und ein paar Zerquetschte* (hundert Mark und...), und außerdem Frauen, die trotz allem auf Liebesbriefe von mir warteten, und Männer, die mich mit *Mensch!* oder *Mann!* anredeten. Aus Wut und Schmerz darüber die ganze Verwandtschaft, den ganzen Hotzenwald ein Diktat schreiben lassen, all meine Legastheniker – oder einen sogenannten Besinnungsaufsatz. – Und wenn sie versagt hätten, alle Metzgereien schließen und die Schwarzwälder Kirschtorte verbieten.

Unter diesen Umständen konnte von Freunden gar keine Rede sein. Und kennengelernt habe ich über Henry auch niemanden. Keinen Menschen, der mich weitergebracht hätte, außer dem Botschafter; keinen Menschen, von dem ich hätte sagen können: »Zum Glück sind wir uns begegnet.« Zeitlebens hatte mir Henry in Aussicht gestellt, mich, zum Beispiel, mit Hubert Burda bekanntzumachen. Vielleicht wäre mein Leben anders verlaufen. Es ist nicht geschehen. Ich habe zwar nicht ausdrücklich verlangt, daß Henry mich mit Hubert bekannt macht, darauf gewartet habe ich aber schon oft, zumal er davon sprach. »Er ist einfach reizend!« Gut, das konnte ich mir schon denken. Ich dachte, daß wir auch gut zusammengepaßt hätten, Nachbarn sozusagen, er aus der Ortenau, ich aus dem Breisgau. Auch sprachlich. Aber in einem ZDF-Interview redete er dann sehr gepflegt, mit Münchner Tonfall! Das kam mir als ein kleiner Verrat vor. Henry hat sogar behauptet, Hubert wolle schon lange auch mich kennenlernen, er habe wieder nach mir gefragt. Ich fühlte mich nach solchen Mitteilungen doch als Teil der Welt, aber umsonst: ich habe ihn bis zum heutigen Tag nicht gesehen. Die Todesanzeige, die ich ihm schickte, blieb unbeantwortet. Vielleicht hat auch Henry Hubert Burda gar nicht gekannt?

Keinen Menschen habe ich also über Henry wirklich kennengelernt, wenn ich den Gerichtsvollzieher abziehe – und vielleicht mich selbst.

Henry behauptete später, daß Heidegger früher immer wieder nach mir gefragt habe: »Wie geht's Ihrem Neffen, Nullmeyer?« Zum Glück war ich doch nie bei den Heideggers eingeladen. »Nullmeyer, berichten Sie mir, wie man in Amerika über den Tod denkt!« Er habe wissen wollen, wie es in Amerika war, was ein Sarg koste und dergleichen Fragen, »die ich beim besten Willen nicht beantworten konnte. Ich habe dann schnell eine Antwort aus dem Ärmel gezaubert, und dann kam schon die nächste Frage, ob aus Holz oder Plastik oder sonst einem Material. – Ob es auch Tupperware-Särge gebe, stell Dir vor!«

Mit dem Satz: *Ich habe viel von Ihnen gehört!* pflegte sich Henry Zugang zu verschaffen. Das war sein Entree in die Gesellschaft, bei den Banketts, Symposien, Kongressen. Henry stellte sich einfach in die Reihe, und wenn er dran war, sagte er jeweils: »Ich habe viel von Ihnen gehört!« und ergänzte die Hochstapelei um ein Detail: »Mein Neffe hat bei Ihnen studiert! Ich lese gerade Ihr neues Buch! – Ihr Vortrag war ausgezeichnet.« Selbst der Bundespräsident fiel auf solche Sätze herein. Und bei den Gruppenfotos hat er sich immer dazugestellt, obwohl er nicht dazugehörte.

Armer Henry, wie er zeitlebens darauf spekulierte, einmal den FRAGEBOGEN der FAZ ausfüllen zu dürfen! Die Antworten, die er sich da ausgedacht hatte! Wir haben im Nachlaß einen Musterbogen gefunden. *Wie möchten Sie sterben? – Ja sagend!,* war da in seiner dicken Handschrift zu lesen. *Wo möchten Sie leben?* Das waren Fragen, über die Henry vielleicht ein Leben lang nachgedacht hat, und er fand Antworten, die er immer wieder neu formulierte. Umsonst.

Mit den Bettelbriefen, zu denen ich Henry angestiftet hatte, da von ihm selbst ja nichts kam, war es nun auch aus. »Hast du nicht Freunde!« redete ich auf Henry ein, versuchte ihm einzureden, daß er kein Geld, aber Freunde habe. »Ist es nicht das natürlichste auf der Welt, daß du ihnen einmal deine Lage schilderst? – Und sie werden dir antworten: Lieber Henry, warum haben Sie uns das nicht längst wissen lassen! Wir können Ihnen doch aushelfen!«

So lange habe ich auf Henry eingeredet, daß er am Ende glaubte, ihm gehe es schlecht – und nicht mir. Aber die Reaktion auf den *Rundbrief,* den wir zusammen aufgesetzt hatten, war beschämend. Keine Antwort. »Du mußt dich halt nochmals an die Leute wenden, vielleicht von einem Fonds sprechen, aber nein, das ist zu schwammig. Auch eine Stiftung ist nicht das richtige. Die Leute sind viel zu vornehm. Die wollen ihren Namen nicht auf einer Tombolaliste sehen. Nein, Onkel, du wirst jetzt ganz direkt an Burda schreiben und eine bestimmte Summe nennen, die dir fehlt. – Ich helfe dir beim Aufsetzen des Briefes, von ›Lieber Hubert! Aus unverschuldeten Gründen bin ich in einen momentanen Engpaß geraten‹ bis ›Es fehlen zur Zeit etwa hunderttausend Franken (Sfr.)‹.« Was ich nicht für möglich gehalten hätte: wieder keine Antwort. »Was machen wir jetzt?« fragte er zögernd-kapitulierend. »Wir werden hinfahren! – Es bleibt gar nichts anderes übrig, als direkt vorzusprechen, zu sagen, wie es ist. Dann werden sie nicht anders können und dir einen Scheck geben oder auch Bargeld. – Fangen wir mit Zürich an. Dein Freund ist doch einer der reichsten! In FORBES Platz vierhundertfünfunddreißig auf der Weltliste!« Aber Henry war doch etwas gehemmt und verwies mich darauf, daß er B. schon zweimal geschrieben habe, mittels des *Rundschreibens,* wie er den Bettelbrief vornehm nannte, und dann noch einmal in einer *persönlichen Adresse.* »Es war doch alles vergebens!« wollte er mir weismachen. »Ich habe einige unter den hundert Reichsten dieser Erde kennengelernt, und es scherte sie einen Dreck, was mit der Welt geschieht!« wollte er sich, was meine Not anging, herausreden. »Nichts ist vergebens!« wandte ich ein. »B. ist doch bekennender Christ, Laienprediger vom Großmünster, der wird dich doch nicht im Regen stehen lassen. Der sagt doch auch ›Onkel‹ zu dir! Und du sagst

›Hubert‹!« sagte und hoffte ich nun schon inbrünstig. »Was ist schon ein Christ heutzutage!« ergänzte Henry verbittert. Ich fuhr mit ihm nach Zürich, wartete in der *Hasenburg* auf ihn. Er atmete schwer, schnaufte, da wußte ich: es wird heute nichts mit der Zuger Kirschtorte. Und so war es auch. Er schüttelte den Kopf, ein Zeichen, das für mich doch fatal war, von Irma ganz zu schweigen, die aufgeregt zu Hause saß und auf den Anruf von mir wartete. Dabei hatte ich mit zwanzigtausend gerechnet, allein für mich. »Schwamm drüber! – Also fahren wir zurück?« bilanzierte ich wieder einmal, mit einem Unterton von Verzweiflung. »Du wirst dich eben entsprechend angestellt haben! – Wir haben doch geübt! – Wahrscheinlich hast du dich verhaspelt. Macht nichts.« Er war nur ein wenig zerknirscht, wollte schon wieder mit seiner Geschichte auftrumpfen, genau wie Irma! »Stell dir vor, Burda sagte mir, er habe gerade einen van Gogh gekauft und müsse nun haushalten. Hubert hat das Bild aus dem Tresor kommen lassen, und ich sollte die Akquisition auch noch bewundern. Das war's.« Wir fuhren zurück. Die Zöllner an der Grenze schauten auch sehr merkwürdig. Nicht viel hätte gefehlt, und wir hätten uns auch noch einer Leibesvisitation unterziehen müssen. Unterwegs hätten wir noch eine Reifenpanne haben können.

In den Lorettobergjahren hat sich Henry vor allem als Dichter verstanden. Ich durfte ihm gar nicht mit seiner früheren Tätigkeit als Professor kommen. Seine eigentlichen Leistungen, die grundlegende Januarius-Zick-Monographie etwa, oder seine Schmoll-von-Werth-Forschungen, deren Kenntnis auf Symposien vorausgesetzt wurde, hat er verworfen. Er, der Schmoll-von-Werth-Papst, war in den Lorettobergjahren praktisch nur noch mit dem Ordnen, Versenden und auch Vorlesen seiner

Gedichte beschäftigt. Mich hatte er bald als Lieblingszuhörer auserkoren. Das Zuhören hat seine Freundschaft, die über alle Verwandtschaft hinausging, begründet. Daher werde ich auch als Erbe genannt. Der Löwenanteil dieses Erbes bestand ja aus seinem dichterischen Nachlaß, für den ich *Sorge tragen sollte.* (Vgl. *Letztwillige Verfügung,* S. 1.) Vom *Universitätsbetrieb* hatte er sich schon lange vor der Emeritierung zurückgezogen, was an der Universität seit 1933 praktisch nicht mehr vorgekommen war, weil alles zu einer Fachschule verkommen sei. Also nun Gedichtbände. In dem mir zugedachten Exemplar seines Bandes *Lichtjahre* hatte er als Motto einen Satz aus den Montherlanttagebüchern vorangestellt: *... Caesar, von Männern ermordet, die er mit Gunst überhäuft hatte. Einige von ihnen erscheinen in seinem Testament...,* und ich fragte ihn, was ich denn mit diesem Satz zu tun hätte, und er sagte: *nichts.* Den Satz habe er gerade erst entdeckt, und er finde ihn sehr schön. Aber vielleicht war es doch eine kleine Drohung, wohl weil er selbst nicht glauben konnte, daß ich seine Verse tatsächlich so hinreißend fand, wie ich am Ende langer Leseabende, ja -nächte, behauptete, ihn unterbrechend, um endlich nach Hause gehen zu können.

Es konnte sein, daß er mitten in der Nacht bei mir anrief, *ich habe es!* in den Apparat raunte und auflegte. Gemeint war das entscheidende Wort einer letztgültigen Fassung. Es gab damals noch keinen Anrufbeantworter, sonst hätte ich ihn darauf sprechen lassen. War ich eigentlich zum Five-o-clock-tea bestellt, hat er mir bald aus seinen Oden und hymnischen Entwürfen vorgelesen, den Tee ganz vergessen und auch, wo er war. »Man fühlt sich als Statist!« beschwerte sich später im PLATZ AN DER SONNE die Tochter von Baron Manteuffel bei mir. »Ich werde diese Tee-Einladungen nicht mehr annehmen können. Das letzte Mal saß ich von fünf Uhr nachmittags bis weit nach Mitternacht, und es gab nicht einmal ein Keks, von wegen Tee! Ihr Onkel hatte einen Stapel von Gedichten vor sich, und er las eines nach dem anderen, jedes zwei Mal, ganz wie Frau Domin, die neulich hier war und bei der er dies wohl abgeschaut hat. – Der Professor erkundigte sich kein einziges Mal nach meinem Befinden. Dabei hatte ich gerade eine schwere zweite Hüftoperation hinter mir. Kurz, ich fand auch nicht eine Gelegenheit, mich zurückzuziehen. Ihr Onkel las ohne Punkt und Komma mit erhobener Stimme bis zu der Stelle, wo er vor Erschöpfung wegsackte. Dann konnte ich gehen. Es war schon halb drei Uhr morgens!«

Warum andere ihre Zuhörer, Freunde und Statisten verlieren, weiß ich nicht. Bei Henry waren es zuletzt die Mammutlesungen. Im Laufe der Jahre hatten sich immer wieder Menschen zurückgezogen, ob durch Tod, Langeweile, Streit oder Enttäuschung. Immer aber konnte wieder aufgefüllt werden. Die Runde am prächtigen Zwölfertisch vom Gut der Urgroßmutter war, so gesehen, immer vollzählig, nur zuletzt nicht mehr, da war es wie im Gleichnis vom himmlischen Hochzeitsmahl.

Seit dem mißglückten Geburtstagsempfang war niemand mehr angereist, kam zuletzt niemand mehr, nicht einmal vom selben Stockwerk, wohl wegen der Lesungen. Nur solche wie Cremerius kamen noch, die sich über die Gedichte hinwegsetzen konnten. Außer dem Essen und den Tabletten, der Nacht- und Wochenendschicht kam nichts und niemand mehr. Alle, die damals wegen Henry einen Anrufbeantworter angeschafft haben, verfügen nun über ein lyrisches Archiv, falls sie die Bänder nicht immer wieder gelöscht haben. Wir könnten die Fassungen vergleichen, doch dazu fehlt mir die Kraft. Ich bin mit der Aufarbeitung des Materials noch nicht recht vorangekommen, ich kapituliere vor diesen Konvoluten, Rollen, Kassetten, Tonträgern, vielleicht auch vor dieser Stimme, die uns doch damals schon einschläferte: eine Mischung aus Hoch und Tief, Gurgeln und Krächzen, Bühne und Altarraum. Mir schickte er die Fassungen per Post zu. Ich sollte mich dazu, schriftlich!, äußern, obwohl er jedem sagte: »Engelbert versteht doch nichts von Gedichten.« So weit ging seine Verblendung, daß er auch von mir gelobt sein wollte. Irma war mehrfach eingeschlafen: So wurde sie in den Testamenten immer wieder zurückgestuft, bis zuletzt ein einziger schäbiger, bitterer Satz zu Irma übrigblieb. Aber dazwischen wurde sie immer wieder rehabilitiert. Henry, der so gut wie nichts mehr wahrnahm, wenn er las, er las wie in Trance, bemerkte aber doch dies allein: das Nachlassen der Konzentration der Zuhörer, ihr Unverständnis, ihre mangelnde Begeisterung. Dafür hatte er Ohren. Forderte ihn der evangelische Pfarrer auf, sein *Mitsommer auf Bornholm* ein drittes Mal zu lesen, ließ der gar das Wort *unsterblich* fallen, wurde gewiß im Testament aufgestockt, und Onkel bezeichnete den Pfarrer mehrfach als *Oase in der Wüste.*

MITSOMMER AUF BORNHOLM

Levkojen blühn und Goldlack in den Gärten.
Holunder duftet im Wacholderhang.
Die Heckenrosen säumen Pfad und Fährten
Und rings des Ginsters gelber Überschwang.

Der Sommer geht am Himmel seine Runde.
Die Küste schimmert fern. Das Meer ist froh.
Azurnes Licht der hohen Mittagsstunde –
Vom Cimbernhafen bis nach Falsterbo.

Zwei Knaben liegen nackt auf roter Klippe
Einzig gehüllt in ihres Haares Blond.
Sie sind von Baldurs, nicht von Lokis Sippe.
Tief unten rauscht die See. Im Wind. Besonnt.

Zuletzt taucht der Name des Pfarrers im Testament allerdings nicht mehr auf. Ich selbst sprach, im Gegensatz zu Irma, die oftmals nur ihr Unverständnis ausdrücken konnte, von *Meilensteinen* – oder gleich von *Leuchttürmen im Meer der Zeit.* Ich verwies auf die Genealogie Horaz-Dante-Shakespeare-Hölderlin-Nullmeyer und sagte: »Alle einsam und groß.«

Der Leuchtturm grüßt den Leuchtturm. Das Echo antwortet dem Echo, schrieb ich großspurig, leichtsinnig und doch tröstend in mein kleines Geschenk zu seinem achtzigsten Geburtstag: es war die Taschenbuchausgabe der schönsten Gedichte Heideggers. Ich sagte ihm, daß er das Schicksal des Nichtverstandenwerdens doch mit Hölderlin und allen Großen teile. Denn nur das Mittelmaß könne sich schon zu Lebzeiten Gehör verschaffen, weil es laut sei und der tobenden Menge nach dem Mund dichte. Alles wirklich Große gehe oftmals verloren. Denn das Mittelmaß selbst, das sich nur wiedererkennen wolle, bestimme den Kanon. Das sei tragisch. Ich fragte ihn, ob er denn von der Masse verstanden werden wolle? Ob er denn ein Staatsbegräbnis haben und dann vergessen sein wolle wie sein Freund Carstens? »Das Große bleibt unter sich!« behauptete ich und verwies auf Heidegger und seine Einsamkeit. »Ja, Heidegger, der war auch einsam!« griff Henry meinen Gedanken auf und schien vorerst getröstet. Ich sprach vom *zeit-übergreifenden Schicksal des not-wendig einsamen Dichters.* Ich sagte *not-wendig.* Man konnte den Bindestrich hören. Daß ich einmal bei der Rezitation seines Baldur-Gedichtes in Tränen ausbrach und hemmungslos (wenn auch aus ganz anderen Gründen) weinte, hat wohl den Ausschlag dafür gegeben, daß mein Name in der letzten *Letztwilligen Verfügung* an erster Stelle genannt wird.

Gott schütze mich vor der Deutschen Bank und den Lyrikern! war damals mein Nachtgebet.

Henry lebte noch – und noch immer in seinem Lorettoberghaus, als ich mich im folgenden Sommer mit Irma, Klaus und den beiden Stuttgarter Sachsen, den Finckes, die wir in Schwanenstadt kennengelernt und die wir zwischendurch zu einem Erinnerungsabend auf halbem Weg in Villingen-Schwenningen getroffen hatten, nun doch Richtung Süden aufmachte. Wir hatten noch einen schönen Abend in Freiburg verbracht und waren dann mit dem VW-Bus, der den Finckes gehörte, gestartet. Unsere Wohnungen haben sie nicht betreten. Die Finckes haben in ihrem Fahrzeug auf dem Parkplatz vor Irmas Hochhaus übernachtet. Gegessen haben wir in der Stadt. Klaus war damals nach Schwenningen mitgekommen und hatte sich *auf Anhieb* sowohl mit ihm als auch mit ihr verstanden.

Was sind das für Menschen, die die ZWANGSVERSTEIGERUNG abonniert haben? Sind das überhaupt Menschen? Klaus war auch so einer, der die FAZ-Immobilienseiten auf NOTVERKAUF-Inserate hin durchforstete, aber seine Lieblingslektüre war ebenfalls die europaweit operierende ZWANGSVERSTEIGERUNG. Er studierte die Objektbeschreibungen, verglich sie mit den Abbildungen. Die Finckes gehörten auch zu den leidenschaftlichen ZWANGSVERSTEIGERUNGS-Lesern. So waren sie auch an ihr Häuschen auf den Fildern gekommen, wobei es mir schleierhaft ist, wie das Haus eines anständigen Filderschwaben schließlich in der ZWANGSVERSTEIGERUNG landen kann. Es war unter den beiden Paaren verabredet worden, daß man sich auf dem Weg nach Marotta (zwischen Rimini und Ancona) noch dieses und jenes Objekt aus der neuesten Nummer *anschauen* wollte. Herr Fincke hatte die entsprechenden Abbildungen mit Leuchtstift gekennzeichnet. Warum fuhr man außerdem zusammen? Was sind das für Menschen, die mit NOTVERKAUF in der FAZ inserieren – ohne Not – und mit Menschen rechnen, die auf NOTVERKAUF spekulieren?

Alles haben sie ausgerechnet – die Fahrt mit dem VW-Bus in der Fünfer-Besetzung, auch nach Erwägung aller Betriebskosten, kam am günstigsten. Klaus, Irma und ich bezahlten einen Pauschalpreis an die Finckes, in dem alles inbegriffen war: Benzinkostenbeteiligung, Fahrzeugabnützung, Fahrzeugsteuer, Versicherung. Im Preis war auch die Standmiete auf dem Campingplatz enthalten. Nur die Lebensmittel, für die eine Gemeinschaftskasse eingerichtet wurde, fielen nicht in die Pauschale.

Gleich von der Schule weg – beide Finckes führten eine Lehrer-Doppelexistenz – waren sie am Freitag in ihrem mit Mountainbike, Paddelboot, Sauerstoff-Flaschen und allem, was zu einem richtig geplanten Leben und durchdachten Urlaub gehört, zu uns unterwegs. Um die Schweizer Autobahnvignette zu sparen, hat man sich für die alte Gotthardstraße, eine Route, die auf einer normalen Karte gar nicht mehr eingezeichnet war, entschieden. Durch die vielen, oft verunstalteten Schweizer Orte hindurchzufinden, war nicht einfach, erst recht nicht, den Paß zu schaffen. Das erste Objekt aus der ZWANGSVERSTEIGERUNG, das Anwesen eines deutschen Schauspielers, der sich umgebracht und dessen Erben sich verspekuliert hatten, lag in Gargnano am Gardasee. Wir hatten um die Ecke geparkt und standen schon am Tor, als der Repräsentant der Immobilienfirma erschien, sehr akkurat-geschäftsmännisch, während wir eher im Sommerlook dastanden. Er hat gleich gesehen, daß es hier wohl nicht zu einem Abschluß kommen würde, und hat uns nur anstandshalber durch die Räumlichkeiten geführt. Wer glaubt schon einem dahergelaufenen Sachsen, daß er ein Anwesen am Gardasee erstehen möchte? Ich schämte mich bei der Führung, versuchte, mich von den anderen abzusetzen, indem ich auch etwas abseits ging und immer wieder: »Was für ein Anwesen!« vor mich hinsagte. – Im Bus haben sie dann den Kopf geschüttelt, waren sich einig, daß *die* verrückt seien, für eine solche Bude eine halbe Milliarde (freilich Lit) zu fordern, machten das wunderschöne Haus schlecht und auch die Menschen, die darin gewohnt hatten, verhöhnten sie postum; solchen Nichtsnutzen geschehe es recht, daß sie Pleite gemacht hätten, Schauspielerhirngespinste vom Gardasee...

Den Auslandsschutzbrief des ADAC hatten wir selbstverständlich auch dabei. Ich war zu einem Fünftel an diesem Schutz beteiligt. Klaus und Erich, die Männer, die für das Fahrzeug zuständig waren, spekulierten sogar darauf, daß das Fahrzeug unterwegs zusammenbrechen würde. Vielleicht möglichst weit weg, am besten am Ziel, optimal gleich am Tag der Ankunft, nach dem Check-in auf dem Campingplatz, auf dem Weg zum Stellplatz. Möglich, daß sogar manipuliert wurde, aber vorerst brach das Fahrzeug nicht zusammen. Mit dem Schutzbrief wäre alles bezahlt: ein Hotel (!) für die Tage der Reparatur, die sich auf Wochen hinziehen konnte in Italien, ein Ersatzfahrzeug, eventuell einen Rückflug hätte es gegeben. Es war, alles in allem, ein Leben auf Maultaschenbasis, das ich zwar nie geführt, aber doch kennengelernt habe. Seltsam, daß Klaus, der im Grunde doch auch nur ein Bankrotteur war, sein Leben auch auf diese Art führte.

Die Finckes, das waren Menschen, die wußten, was man im ALDI kauft und was nicht. Niemals Wurstdosen, niemals Nudeln, wohl aber, zum Beispiel, Kaffee und Rosen am Donnerstag zu einem der seltenen Feste, wenn dies auf ein Wochenende fiel. Dann konnte man die schönen gelben Rosen noch zwei Tage zu Hause genießen. Oder zu den Beerdigungen. Wo man Särge und sonstige abgepackte Ware kauft, wußten sie freilich auch.

»Der Schofseggl kauft Noodle em Aldi!« – So hatte mich Klaus den Finckes gegenüber beschrieben, abends, als wir bei unserem mitgebrachten Rioja auf den Campingstühlen vor dem Wohnmobil zusammensaßen. Seine *Nudeln* hörten sich in meiner Sprache wie *Nadeln* an. An die Vor- und Nachbereitungsabende dieser wunderbar blauen Marottatage mag ich eigentlich gar nicht denken. Es wurde eigentlich immer nur verrechnet, damit wurden diese Ferien, wenn nicht ihr ganzes Leben, zugebracht. Die Gemeinschaftskasse war unser Gott und unsere Religion; das Sparen und das Ausrechnen war unser Gottesdienst, eng aneinandersitzend am Campingtischchen vor dem VW-Bus zelebriert. O ja, ich habe mich in Marotta auch amüsiert, wenn ich Erika beobachtete, wie sie die Portionen aus der Dose (keine Wurst) verteilte. Es war nicht einfach, einen Aldidoseninhalt gerecht in fünf Portionen zu teilen. Da war Henry wieder einmal komplett vergessen.

Ich war dabei, und ich weiß auch warum: w
der fünfte Platz nicht belegt gewesen wäre. Ich
Fünftel der Reisekosten. Ich war immer nur das
lende, mitreisende Fünftel. Und die anderen waren
nichts anderes. Es war eine Zweckreisegesellsc
neben der sogenannten Erholung war der Hauptrei
zweck, daß man sparte: Es mußte, unter dem Stric
billiger kommen, als wenn man zu Hause gebliebe
wäre. Vermutlich war das Zusammenleben der Finckes auch nichts anderes als eine sogenannte Zweckgemeinschaft: die Lebenskosten halbierten sich. Auch die Befriedigung der Lust kam so noch am billigsten. Ich weiß, daß sich auch Klaus alles ausgerechnet hat und auf das Zweiermodell, die Ehe, als das wirtschaftlichste stieß. *Das schwäbische Modell* nenne ich es hiermit. Die Sachsen waren bis in die Sprache hinein angepaßt, die ihnen so leichtfiel, daß sie bald nach ihrer Flucht nach Stutt-

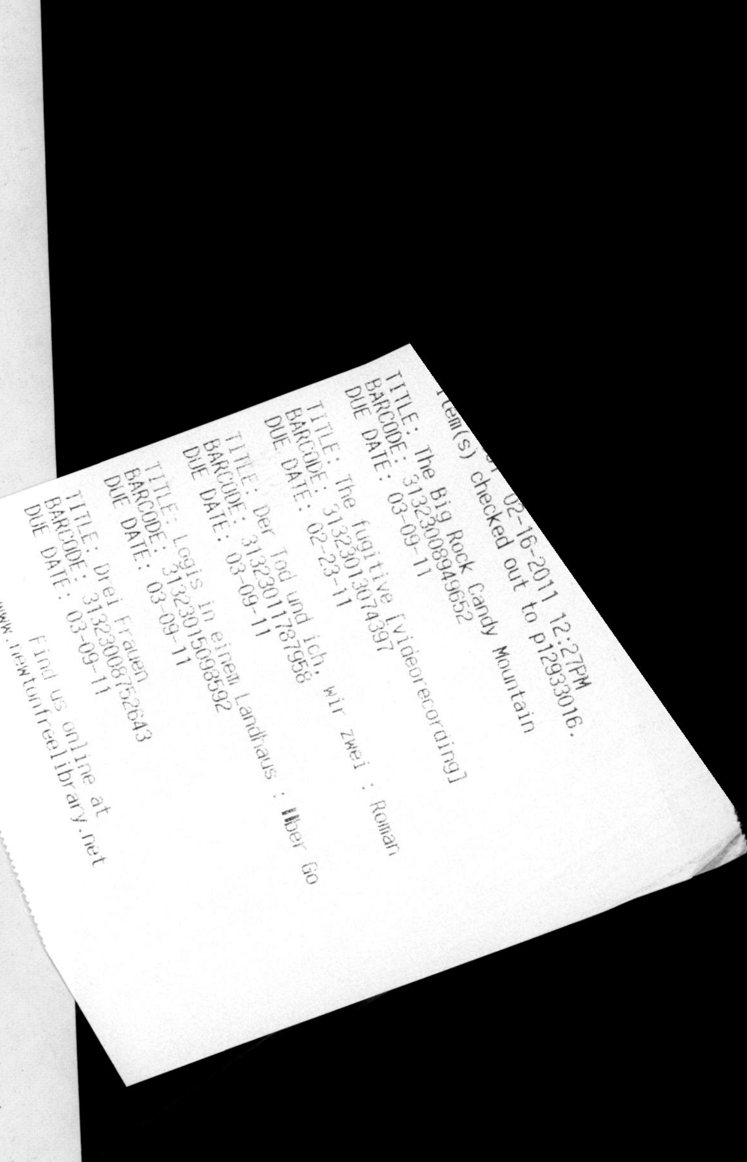

gart jedem Satz ein württembergisches *Hanoi!* hinzufügten, was mir, der ich doch kaum zwei Autobahnstunden von Stuttgart entfernt geboren wurde, ein Leben lang schwerfiel.

Ich habe die Begleitumstände dieser Reisen wie die des Lebens hingenommen: als das kleinere Übel. Ich redete mir ein, daß das Leben selbst so etwas wie das kleinere Übel sei. So dachte ich wohl auch damals, auf der Rücksitzmitte. Ich war dankbar dafür, daß ich abends, zum Beispiel, nicht allein herumgehen mußte, daß ich sie hatte, daß ich mich bei keinem Menschen auf der Welt dafür entschuldigen mußte, daß ich allein unterwegs war. Und was *das Eine* angeht, hatte ich nun auch Ruhe. Irma und Erika hatten ihre Boys dabei, Boys als Toys, schön. Wenn ich aber Diktator werden sollte, dachte ich mir in Marotta aus, wird es ein VW-Bus-Verbot für Lehrer aus dem Schwäbischen geben, das Verbot der Mitführung von Lebensmitteln, unter Umständen generelles Reiseverbot für die Kombination: Bart- und Brillenträger, Gesichts- und Kleiderkontrolle, Benimmprüfungen für Fahrten ins Ausland. Verbot von Dosenfleisch! Keinerlei Aldifutter! – Auf den Rastplätzen der Emilia-Romagna hockten Gestalten wie wir in ihren Wohnmobilen mit ihren AA-BB-etc.-Autonummern und spießten ihre Dosenwurst (nicht Aldi) auf Schweizertaschenmessern auf. Schoben sie in ihre Mäuler, direkt von der Büchse ins Maul! – ohne Brettchen, Gabel und Brot, einfach so! – Schwäbisches Frühstück unterwegs. Wir aßen genauso, und die anderen haben auch noch gesehen, wie uns Erika die Portionen zuteilte. Jetzt möchte ich sterben.

Als ich dann endlich aufatmete, in meinem gemieteten Liegestuhl direkt am Meer – schließlich war ich nun am Meer! –, mußte ich mitanhören, wie sich die Böblinger nebenan in ihrer mitgebrachten und wohl selbstgemachten Hängematte brüsteten, noch nie ein Hotel von innen gesehen zu haben. Und nicht genug – so etwas machte sich über mich wieder einmal lustig. Als sie sahen, daß wir, selbst Irma und Klaus, dem Boy von den Strandliegen ein Taschengeld zuschoben, wurde vor allem ich zum Gegenstand eines allgemeinen Gelächters und auch der Verärgerung: »Mensch, der versaut die Preise!« hieß es auf mainstream-schwäbisch, in einem original schwäbisch-deutschen Maulton. Zum ersten Mal in meinem Leben habe ich da auch das Wort *Preis-Leistungs-Verhältnis* gehört.

Die kleinen Selbstverständlichkeiten, die mir immer wieder das Leben erleichtert, wenn nicht gerettet haben, wurden von meinen Mitreisenden mißbilligt: Ich ging gerne essen. Irma, die mich begleitet hätte, durfte, wenn Klaus dabei war, nicht selbst entscheiden. Saß ich dann auf der Strandterrasse bei einer Pizza, sah ich bald mir bekannte Gesichter vom Campingplatz auf und ab gehen. Sah, wie sie bald vor der Speisekarte standen, wie sie die Hälse verrenkten, die Augen zusammenkniffen, das Gesicht verzogen und dann immer wieder *noi-noi-noi* und *hanoi* ausstießen, den Kopf schüttelten und schließlich davonschlurften, die armen Kinder immer wieder durch noi-Laute ins schwäbische Leben einweisend. Und später würden die hier stehen und es genauso machen. Was für eine Zukunft? *Gschmelzd odr en dr Bria?* Ein Leben auf Maultaschenbasis.

Weh mir, als ich eines Tages mit dem Taxi vor dem Stuttgarter PLATZ AN DER SONNE vorfuhr, um einen Platz für Henry zu finden. Die Direktorin fragte mich scharf, warum ich mit einem Taxi angefahren komme. Das Gesprächsklima war von Anfang an eisig. Es hatte eigentlich keinen Zweck mehr zu fragen, ob für einen sehr netten Professor noch etwas frei sei. Er wäre hier, mit einem solchen Neffen, vielleicht nur schikaniert worden. Sie mißbilligte mich im ganzen. Ich war ihr wohl auch noch zu fein angezogen, etwas, was mir sonst auf der Welt überhaupt noch nicht passiert war. Ich glaubte, ihr mein Taxi erklären zu müssen, und sagte: »Ich hatte keine Zeit für die Straßenbahn.« – »Straßenbahn?« fiel sie mir ins Wort: »So eine Strecke geht man zu Fuß. Das gibt drei Laugenbrezeln!«

Erinnerung, zweite Gegenwart

Was wohl aus den Alten geworden sein mag, die ich damals, als Nikolaus verkleidet, aus meinem Goldenen Buch heraus tadelte und lobte?

Mein zweieinhalb Zentner schwerer Onkel Henry – er lebte nun schon geraume Zeit in der Seniorenresidenz PLATZ AN DER SONNE, nun doch in der in Freiburg im Breisgau – hatte mir, aufgrund seiner guten Beziehungen, diesen Weihnachtsfeierauftritt als Nebenverdienst verschafft. Nach der sogenannten Bescherung gab es noch eine kleine, feuersichere Lichterprozession mit künstlichen Kerzen vom Festsaal zur Empfangshalle und zurück, Minitaschenlampen, die einen Sternenhimmel andeuten sollten. Das Haus, das über keine Kapelle verfügte, wohl aber über eine Filiale der Deutschen Bank gleich rechts neben dem Eingang, war *weltanschaulich neutral.* Daher war dies auch keine Prozession, sondern ein Lichter-Umzug. Ich führte mit meinem Knecht Ruprecht den Zug an. Auf dem Rückweg kamen uns die letzten noch entgegen, mit und ohne Gehhilfen, Stöcke, Schiebewagen, irgendwie humpelnd. Es war eine schauerliche Polonaise, begleitet von *O Tannenbaum,* dem einzig allgemein bekannten und weltanschaulich neutralen Weihnachtslied. Nicht einmal *Leise rieselt der Schnee* konnte gesungen werden, denn am Ende der ersten Strophe taucht das Christkind auf. Was aus diesen Menschen geworden sein mag? Die einen wollten sich noch ans Aquarium, die anderen vor den Vogelkäfig, wieder andere unter die Palmen im Foyer setzen oder noch ein paar Schritte gehen, einmal um die *Kaffeemühle,* wie die rostrote Stahlskulptur im

Innenhof der Anlage genannt wurde, Satz am Ende des Lebens.

Hier wird immer wieder etwas frei! sagte mir schon eine Dame am Telefon, als ich mich nach den Möglichkeiten erkundigte, einen der – angeblich begehrten – Plätze im PLATZ AN DER SONNE *für einen gepflegten, älteren Herrn,* wie ich mich ausdrückte, *Professor!* zu bekommen. *Er ist sehr nett!* Falls ich damals tatsächlich Henry gemeint haben sollte, war das natürlich glatt gelogen, genauso wie das *gepflegt.* Außer dem *Professor* stimmte nichts.

Ich hatte nun mehrere Jahre leidlich neben Henry hergelebt. Er war, anstatt rechtzeitig zu sterben, immer älter und schwieriger geworden, hatte *ziemlich abgebaut,* wie man sagt. Er war nun schon ziemlich alt, ich hatte Angst, daß er nun schon zu alt für ein Altersheim sei, und daß sie ihn nicht mehr nehmen wollten. Allmählich gingen auch seine Reserven, die doch auch meine Reserven waren, zur Neige. Alles zusammengezählt, die Erträge aus den Nebenverdiensten, die kleine Apanage vom Botschafter und das Geld, das mir meine Mutter heimlich zusteckte, wenn ich (war es vor allem deswegen?) ins *Rößle* fuhr, reichten gerade soweit, daß ich nicht an Selbstmord dachte. Heiraten war unter diesen Umständen nicht möglich, auch wenn ich dies gewollt hätte. Meine Inserate, in denen ich meine Größe unterschlug *(Seriöse Erscheinung, fünfunddreißig, sucht vermögende Dame zum Heiraten. Gerne auch Lehrerin, Lektorin, Ärztin, mit Kind oder älter),* blieben ohne Resonanz. Also immer wieder Henry in seiner *Stadtwohnung,* wie er seine Residenz auf dem Lorettoberg nannte. Eigentlich hätte er von da direkt in die Alterspsychiatrie gehen müssen – oder mindestens in ein Pflegeheim, und nicht in ein nach außen hin so vornehmes Wohnstift.

Denn schon am Ende der Lorettobergzeit schafften es zwei zusätzlich angeheuerte Kräfte kaum, Henry gesellschaftsfähig zu halten, nicht zu reden von seiner Wohnung. Ich war noch nicht zu seinem Vormund bestellt, sonst hätte ich vielleicht, nicht nur aus reinem Eigennutz oder aus einer mir angeborenen Herzlosigkeit, Henry in eine der gut geführten psychiatrischen Anstalten, im nahe liegenden Emmendingen oder in Rottenmünster etwa, einweisen lassen. Dort hätte er es vielleicht genauso gut gehabt, hätte sein Essen bekommen, sein Blutdruck und die sonstigen Daten wären regelmäßig kontrolliert worden, die Bettwäsche wäre gewechselt worden und so auch die Kleider. Außerdem hätte die Krankenkasse bezahlt, dies nur nebenbei, denn Emmendingen, zum Beispiel, galt als Krankenhaus. Daß dieses Haus mich noch eine Stange Geld kosten wird, war mir von Anfang an klar. Aber es war nun unausweichlich geworden. Ich tröstete mich damit, daß diese Lösung immer noch günstiger war als ein Pflegebett in der Diakonie. Das hätte mir das Genick gebrochen. Das Günstigste wäre gewesen, Onkel irgendwie aus der Welt zu schaffen, doch dazu fehlte mir das Format. »Hoffentlich muß er in diesem Wohnstift nicht zu lange leiden!« dachte ich. »Wenn er die Aufnahmeprüfung nicht schafft, werde ich die volle Vormundschaft beantragen und ihn in ein gepflegtes psychiatrisches Haus bringen«, dachte ich. »Vielleicht habe ich doch zu lange mit der Entmündigung gezögert?« Ich habe ihn unter die Dusche gestellt und mit einem Schlauch abgespritzt, habe ihn rasiert und in einen tadellosen Anzug gesteckt, habe ihm zuvor schon die Pampers übergestreift, ihn zu meinem Auto geschleppt und hineingesetzt, ihm eingeschärft, uns nicht zu blamieren, nicht zu grimassieren, freundlich zu sein zu freundlichen Menschen, habe mit der Einweisung nach Rottenmünster drohen müssen, mit

Emmendingen, mit dem vollständigen Wegfall von Trüffelpralinen und Marzipankartoffeln, habe ihm noch drei Bananen und mehrere Trüffelpralinen zugeschoben, noch eine halbe Stunde neben ihm gesessen, bis alles verschlungen war, ihm danach noch den Mund abgewischt und, was das wichtigste war, ihm das Gebiß eingesetzt – und zwar oben und unten. Dann sind wir losgefahren, und landeten im pompösen Direktorenzimmer einer der modernsten Wohnstiftanlagen überhaupt (laut Prospekt). Hatte die Dame nicht von *wegsterben* gesprochen? Doch vom Sterben oder gar vom Tod war jetzt keine Rede mehr. Kein Wort davon, worum es ging. Hatte sie nicht gesagt: »Hier wird immer wieder etwas frei?« Dieser PLATZ AN DER SONNE war noch die billigere Lösung, wie sich herausstellte. Ich entschied mich für das geräumige Ein-Zimmer-Appartement, knapp dreitausend Mark kalt. Ein vertuschter Hotelbetrieb: Zimmerdienst, Wäsche, Putzfrau gingen extra.

Wir saßen mehr oder weniger ungezwungen in den Polstermöbeln, Henry ohnehin, die Direktorin, die hinzugezogene Ärztin, Frau Dr. Niemitz. Mir war bald klar, daß es sich hier um eine Eignungsprüfung, um die wohl letzte Prüfung seines Lebens, handelte, die Henry noch, außer der Todesprüfung und dem vorausgehenden Todeskampf vielleicht, zu absolvieren hatte. Auf alle machte Henry einen hanseatisch-tadellosen Eindruck. *Alte Schule!* flüsterte Frau Niemitz der Direktorin zu. Ich konnte anschließend nach Hamburg melden: »Ging glatt, bis auf Kleinigkeiten, die den Gesamteindruck nicht schmälerten. Prüfung bestanden! – Kann, sobald etwas frei wird, einziehen! Machte selbst noch auf die angetretene Putzkolonne einen tadellosen Eindruck.« – »Gehört das Haus etwa der Gewerkschaft?« fragte die andere Seite nun argwöhnisch. Das Wort *Mitbestimmung* löste beim Botschafter ein Grauen aus. »Nein, nein, nein, nicht

Gewerkschaft! Wo denkst du hin. Das würde ich doch dir und ihm nicht antun, den guten Henry am Ende seines Lebens in die Hände der Gewerkschaft abzuschieben!« *Ende seines Lebens* war wiederum ein Fauxpas. Damit durfte man dem Botschafter nicht kommen. Ich hätte, ihm gegenüber, dieses Wort nicht in den Mund nehmen dürfen, nicht einmal *Lebensabend* oder eine andere Umschreibung. Bei den Fangfragen wurde es zwischendurch zwar kritisch, so antwortete Henry auf die Frage: »Ach, Herr Professor, ich habe meinen Taschenrechner nicht dabei, können Sie mir sagen, wieviel 3x3 ist?« der Ärztin: »Das ist doch im Grunde völlig gleichgültig.« Und als sie sagte: »Ich habe ganz vergessen, wie der Bundespräsident heißt«, verweigerte er die Antwort. Nach einer für mich unendlich scheinenden Pause hakte sie nach, hielt den Kopf schief, als ob sie überlegen wollte, und sagte dann: »Heißt er nicht von Weizsäcker?« – »Von wegen ›von‹! – Gehen Sie mir weg mit diesem ›von‹! Der hat sich sein Adelsprädikat doch nur erschwindelt!«

Die Ärztin meinte dann in einem *Gespräch unter vier Augen,* daß mein Onkel eine sehr interessante, aber etwas schwierige Person sei. Sie glaube aber, ihn mit der Zeit schon in den Griff zu bekommen. Hatte die eine Ahnung! »Sie werden von uns hören! – Frau Strigel, zeigen Sie den Herrschaften noch ein Wohnbeispiel!«

Beim Hinausgehen schlug mir ein Geruch, der auch durch prachtvolle Gebinde im Foyer nicht neutralisiert werden konnte, entgegen. Überall saßen Damen herum, die so aussahen, als ob sie (immer noch) auf eine Einladung zur Fuchsjagd warteten. Es war gegen halb zwölf, die erste Partie machte sich schon zum Mittagessen auf, vorwiegend (strenge) Damen, denen das Leben außer dem Tod nichts mehr anhaben oder bringen konnte. Auf ihn gingen sie ja auch zu. Vorher meinetwegen noch zum Coiffeur, aber immer angemeldet. Heute sind sie wohl alle tot. Irish Moss!, hatte ich herausgefunden. Zwischendurch wurde ich auch noch wütend, weil dies alles an mir hängenblieb. Warum an mir, der ich nun halb als Erbschwindler und immer schon halb als Idiot galt? Ich war anscheinend etwas, das nicht zusammenpaßte. Dann habe ich mich wieder gefaßt. Ein Bedürfnis nach Licht, nach Klarheit auch in mir selbst überkam mich. Ich wollte ein Zeichen setzen, das ganz im Gegensatz zu meinem Leben stand und doch von mir kam, hatte die alte Sehnsucht nach etwas Großem: ein anderer, ein besserer, ein Mensch zu sein. In solchen Augenblicken war ich dabei, meinen Einsatz in Sachen Henry mir selbst gegenüber als gute Tat auszugeben und mir mit der Moral zu kommen. Ich dachte mir eine Verteidigungsrede aus: Meine Captatio benevolentiae, der Beginn einer Apologie meines Weiterlebens.

Auf das PLATZ AN DER SONNE war ich durch eine Anzeige im Reiseteil der FAZ gekommen: *Kapazitäten frei.* Im Kleingedruckten las ich: *Nur für die erste Garnitur. Für Herrschaften von Anspruch und Rang eine allererste Adresse.* Das könnte das Richtige für Henry sein! dachte ich sofort, zumal ich las: *Schon ab 2.999,– Grundpauschale.* Das ließe sich über die Pension oder noch besser, falls ich deren tatsächliche Höhe dem Botschafter unterschlagen konnte, durch einen Zuschuß von seiner Seite bestreiten. Ich ließ mir die Prospekte kommen. Bald fürchtete ich einen ersten Besuch, die Betriebsbesichtigung, wo mir Dinge erklärt würden, von denen ich eigentlich nichts wissen und die ich nicht sehen wollte. Nein, dieses Haus war *kein* Altersheim. Um Gottes willen nicht dieses Wort! *Sie wohnen hier wie zu Hause. Bringen Sie Ihre Dinge mit. Richten Sie sich hier ein. Luxuriös geschnittene 100-m²-Wohnungen. Pent-*

house-Wohnungen. Auch einfachere Wohnungen mit eingebauter Küche sind noch vorhanden. Das kommt eher für Henry in Frage, dachte ich. Allerdings wurde es dann doch etwas voll, als Henry hier eingezogen war. Die Tennisplätze und die Golfplatz-Mitbenutzung würde Henry nicht benötigen, wohl aber das *gut geschulte Personal,* von dem auch die Rede war. Das Personal bestand fast ausschließlich aus billigen Putzkräften, Jugoslawinnen, die über eine Putzfirma geleast waren, und aus sogenannten Zivildienstleistenden. Ich hatte geglaubt, das Haus sei *keine* soziale Einrichtung. Und die war es schließlich auch nicht. Man arbeitete auf Profit. Die Zivildienstleistenden, die ich dann kennengelernt und immer schon bewundert habe, waren dagegen Idealisten, ohne die das Haus bestimmt nicht hätte mit Gewinn arbeiten können.

Beim Hinausgehen sagte noch eine Dame, die neben dem Eingang saß: *ein Nihilist!* vor sich hin, als wir gerade vorbeigingen. Ich weiß nicht, ob sie Henry oder mich oder keinen von uns meinte. Ich fuhr mit Henry zurück. Er hatte nicht mit dem Gebiß gespielt. Er hatte nicht mit den Hamburger Verhältnissen geprahlt. Er hatte nicht in die Hose gemacht. Das Wort *besenrein* fiel nicht. Bald war im PLATZ AN DER SONNE etwas frei, eine 30 m^2 große Wohnung mit eingebauter Küche und Schlaflandschaft, die von mir bevorzugte *kleine Lösung.* Henry konnte sich ins Bett seiner Vorgängerin (†) legen. Der Umzug sollte mich wieder Tage, wenn nicht Wochen kosten. Zwar kam der Botschafter fürs gröbste auf, bezahlte auch den Umzug. Und doch hatte ich wieder das Gefühl, daß alles an mir hängenblieb. Henry hat sich vom Tag des Auszugs an nur noch verwalten lassen. Den Großteil seiner Einrichtung habe ich, das war schon von Henry zu Lebzeiten so verfügt worden, abholen lassen, mit einem Viehtransporter ins *Rößle* fahren lassen, beiseite schaffen, sichern lassen, *zum Unterstellen,* ganz wie mit Henry abgesprochen, der nicht wollte, daß seine Dinge irgendwann doch einmal an den Staat fallen würden und so verlorengingen.

Dies alles, besonders in den letzten Tagen vor der Übersiedlung, die schon eher einer Überstellung glich, war für Henry doch zuviel geworden. Er hat abgeschaltet. Als ich dann mit ihm das Haus verließ, in dem er doch dreißig Jahre gewohnt hatte, hat er nicht rechts, nicht links geschaut. Ich sagte ihm: Wir machen einen Ausflug in den Schwarzwald! Das war auch nicht ganz falsch, die Richtung stimmte.

Als wir dann (ein zweites und letztes Mal, Tag des Einzugs 2. 11.) im Wohnstift anlangten, Henry im Glauben, es sei ein Hotel, und wir wollten uns fürs Wochenende einmieten, schrie eine von den Damen, die, wie ich später sah, die ganzen Jahre im Eingangsbereich herumsaßen, wenn nicht herumlungerten, auf: »Will der etwa zu uns?« Es war eine Mischung aus Entsetzen und Enttäuschung. Eine andere weinte. Und noch eine andere sagte immer wieder: »So ein Mondgesicht!« vor sich hin. Während mich diese Kommentare eher traurig stimmten, brachte mich der Zwischenruf: »Hier kommt der Erfinder des Betons!« eher aus der Fassung. Es mußte eine Verwechslung vorliegen, denn im Haus lebte, wie ich schon erfahren hatte, auch der angebliche Erfinder einer erfolgreichen Betonlegierung, ein Morgenmensch, der oft die halbe Nacht am Aquarium saß und aufs Frühstück wartete. Er glaubte immer, es sei Morgen, aber es war Nacht. Immer kam er aufgeräumt aus seiner Behausung, hörte ich, in Morgenstimmung, mit entsprechender Hoffnung, mit entsprechendem Schritt ging er entschlossen voran, es war halb drei. Dann setzte er sich eben noch etwas ans Aquarium, die Kommunikationsstätte eins im PLATZ AN DER SONNE, noch vor dem

Vogelkäfig. Bald hat sich Henry wieder gefangen und zu seiner alten Form zurückgefunden, es war nur eine vorübergehende Demenz, wie die eingeschaltete Hausärztin festgestellt hatte. Von seiner Wohnung auf dem Lorettoberg und den dreißig Jahren darin hat er aber nicht mehr gesprochen. Ich hatte nicht den Eindruck, daß er den Lorettoberg vermißte. »Er hat etwas! Ihm fehlt etwas!« redete bald seine neue Nachbarin, Frau zu Schlobitten, auf mich ein. Ihr hatte er erzählt, daß er aus Hamburg hierher gekommen sei, welche Anhänglichkeit!

Auch während der Zeit im PLATZ AN DER SONNE mußte ich den Bestand sichern, Schaden abwenden und den Gefahren wehren, frei nach dem Grundgesetz. Eine Gefahr: Dr. Cremerius, der evangelische Pfarrer. Was er eigentlich wollte? Cremerius hat sich einfach an Henrys vermeintliches Totenbett gesetzt, zu einem Zeitpunkt, zu dem seine Hoffnung, daß Henrys Lebenszeit mehr oder weniger abgelaufen sei, berechtigt war. Soviel Zeit bleibe aber noch, Professor von Nullmeyer zu einer namhaften Spende, etwa für die neue Orgel, zu bewegen. Für den Pfarrer sah es nicht schlecht aus. Bald hatte er sich Henrys Vertrauen erschlichen, denn Cremerius war auch ein Hanseate, wenn auch aus Bremen. Henry ließ durchblicken, daß noch etwas da wäre, warf mit Namen um sich, sprach von der Sorge um seinen geistigen Nachlaß. All die Briefe! Einmal sprach er von *verbrennen*, dann wieder von *Marbach.* Er ließ auch durchblicken, daß er gerade an ihn, Cremerius, dächte. Henry und Cremerius machten ein Gesicht, als ob die Sachen in einem evangelischen Pfarrhaus besonders gut aufgehoben wären. *Was soll ich nur damit machen! Mein Neffe hat ja keine Ahnung von diesen Dingen!* wird er Cremerius, der wohl sehr verständnisvoll nickte, vorgejammert haben. Wahrscheinlich hat Cremerius auch angedeutet, daß in seinem Pfarrhaus Platz genug sei, auch Raum, auch geistiger, auch für Heidegger. Die Gier war dem Pfarrer auch sonst ins Gesicht geschrieben, ich sah es, besonders an jenem Gesichtsausdruck, der das betonte Desinteresse an materiellen Gütern, das Verständnis für alles, die Nächstenliebe und das Sich-Bescheiden spiegeln sollte. Cremerius wird gesagt haben, daß Kapazitäten für den ganzen Heidegger da seien. Auf Heidegger hatte er es wohl am meisten abgesehen. Auch Henry hat ja zeitlebens am meisten mit Heidegger geprahlt. Damit konnte er manchen Philosophiestudenten oder Gast aus Japan und Korea zu sich locken. Kapital der späten Tage: mit der Ming-Teekanne kommen, etwas plaudern, erst die Fotos mit den Widmungen, die an der Wand hinter dem Teetischchen hingen, erklären, dann, wie nebenbei, ins Fach neben dem Sessel greifen, einen Heideggerbrief herausfischen und an irgendeiner Stelle mit dem Vorlesen beginnen. Es gab Menschen, für die so etwas wie das Lesen in der Heiligen Schrift, und zwar im verlorengegangenen Originaltext, war. *Sehen Sie, hier schreibt er,* wird er zu Cremerius gesagt haben: *Das Korn duftet von allen Seiten wie betörend* – (die Lektüre stockt nun etwas) *wir können uns nun in dieser Erntezeit eine Unterbrechung der Arbeit nicht erlauben und grüßen andenkend.* – Dies war der falsche Brief, ein Mißgriff, denn Henry war auf diese aufgeblähte Weise wieder einmal ausgeladen worden, abgewimmelt, wie ich vermute. Wahrscheinlich bestand das ganze Konvolut der sechshundertsiebenundsechzig Briefe (dazu kamen mehrere hundert Postkarten, handsignierte Fotos, Bücher und Schallplatten) aus Variationen der Ausladungsformel. Das Ganze war eine einzige, große Ausladung. Traurig, aber ich fürchte, es war so. Trotz allem hat Henry dem Philosophen viel Zeit gestohlen! Er *mußte* abgewimmelt werden. Ich verstehe Heidegger hier perfekt. Er war noch äußerst geduldig und immer höflich dabei. Eigentlich beginnt jeder Brief seit den dreißiger Jahren mit dem Satz: *Ich danke Ihnen für Ihr Schreiben.* – Das, was Henry dem Denker an Briefen abgepreßt hat, kann dann doch für Biographen wertvoll und aufschlußreich sein. Henry hat Heidegger zum Schreiben gebracht. In manchem Brief hat er etwas von seiner Einsamkeit einfließen lassen, die für ihn aus der Größe seines Denkens resultierte und vielleicht auch deren Folge war. So las Henry den Hamsun- oder auch den Willy-Brandt-Brief oder auch den Freud-Brief vor, die alle in einer Spezialschatulle lagen. *Hamsun war ein großer Dichter. Es ist eine Schande, wie der alte Mann von seinen Landsleuten behandelt wurde,* schreibt Heidegger in seinem allerletzten Brief, den Henry wenige Tage vor dem Tod des Philosophen bekommen hat, und Cremerius wird andächtig genickt und gezittert haben. Spätestens seit dem Vorlesen des Willy-Brandt-Briefes war Cremerius in eine Wallung geraten, die einer mittelschweren Erektion entsprach: *Wie soll Zukunft sein in einer Welt, in der Waschweiber regieren und der Journalismus alles zerredet!* So Heidegger in seinem Schlußsatz (vom 20. 5. 1974). Cremerius äußerte vermutlich, daß es ihm eine Ehre wäre, für die Heideggerbriefe *Sorge zu tragen.* Der Idiot! Die Originale waren doch längst versilbert. Onkel las die ganze Zeit aus Kopien vor. Ja, so hat er uns zuweilen auch behandelt. Auch wenn er gegen sein Lebensende hin wieder von evangelischen Anwandlungen befallen wurde, so ließ sich die alte Freude an Doppeldeutigkeiten doch nicht abstreifen. Er war einsam. Gewiß. Er vertuschte aber seine Einsamkeit, indem er schon sehr früh vorgab, eigentlich schon in der Lorettobergvilla, vielleicht schon als Kind, schon immer, in einem Totenbett zu liegen. Besonders in den Jahren im PLATZ AN DER SONNE war er dann – aus purer Einsamkeit – in die Rolle des Sterbenden geflüchtet und lag so in seinem Bett wie in einem zukünftigen Sterbebett. Immerhin gelang es Henry, auch noch an sein tatsächliches Sterbebett lebensgierige Erscheinungen wie Cremerius zu locken, denen er Heideggerbriefe vorlas, meist im Liegen, seltener durch einige Polster gestützt. Daß es Kopien waren, mußte er doch nicht sagen! Auch die anderen Briefe waren nur noch als Kopien da, die Hofmannsthalbriefe, die Kleebriefe, die Rilkebriefe, Kopien, sehr gute zwar, aber Kopien.

Henry lag meist im Bett, wenn ich zu ihm kam, öfter als nötig, und immer häufiger stieß ich auf Dr. Cremerius. Ich glaube, er kam vom Verlesen des Brandtbriefes an jeden Tag, und dann sprach er von der neuen Orgel und machte sein evangelisches Schmalzgesicht dazu und redete in der Wir-Form, gesalbt, Blödsinn und Lügen. Nun kann man sich – nach evangelischer Auffassung – zwar im Himmel nicht einkaufen, dennoch drängte er meinen Onkel zu einem solchen Schritt: Cremerius ließ durchblicken, daß dies nicht ausgeschlossen, ja möglich wäre. »Meinen Sie?« fragte Henry mit einem schiefen Mund, der von einem kleinen Schlaganfall herrührte, und ganz zögerlich. Der erste richtige Schritt für Professor von Nullmeyer in diese Richtung (Himmel) wäre über die neue Orgel. In die Kirche von Cremerius kam ja kaum mehr ein Gläubiger, ab und zu gab es noch ein Konzert. Wem hätte auffallen können, daß da eine neue Orgel war? Die neue Orgel! Vorerst fehlten noch anderthalb Millionen. Henry sprach nun so, als ob er helfen wollte. Er sprach von *dazuschießen*, und wenn er sich auf seine Herkunft besann, etwas vornehmer von einer *bedeutenden Summe.* Lebt er noch? Bestimmt lebt er noch. Dieses evangelisch-geistliche Miststück hat Henry tatsächlich die Hölle einreden wollen, so getan, als ob es sie gäbe, genauso wie den Himmel, denn *Hurenböcke und Knabenschänder werden das Himmelreich nicht erlangen!* sagte er zu Onkel und sprach von den fehlenden anderthalb Millionen für die neue Orgel. Cremerius wußte doch genau, was mit Henry los war. Daher zitierte er immer wieder den protestantischen zweiten Messias, Paulus von Tharsos, und warf dem armen Mann *Wer so handelt, verdient den Tod!* an den Kopf. Wenig später sagte Cremerius noch einmal: *Hurenböcke und Knabenschänder werden das Himmelreich nicht erlangen!* Henrys Leben, das doch, genau betrachtet, schon eine Strafe war, sollte nun auch noch in die Hölle hinein verlängert werden. Zur Strafe wird er weiter aus den Briefen vorgelesen haben, bis alle Kopien durch waren. Den ersten Satz ließ er immer weg. Die wohldosierten Drohungen von Cremerius waren alle umsonst. Nichts hat er bekommen. Das ist die Strafe dafür, daß er Henry noch ein letztes Mal, diesmal auf seine evangelische Art, gequält hat: mit der Bibel kommen!, die sowieso keiner versteht, wo alles mögliche drin steht, auch die Sätze, die Cremerius zitiert hat, unverständlich wie ein schlechtes Rezept und konfus. Onkel hat damals vorübergehend doch Angst bekommen, wurde wegen dieser Botschaft ganz unfroh und hat sich unter der Bettdecke versteckt, wo ich ihn entdeckte. Dann hat er mir gebeichtet, was Dr. Cremerius alles gesagt hat, auch die Grabrede habe er ihm schon vorgelesen und übergeben. Henry hat sie mir gezeigt. Da bedankt sich Cremerius euphorisch für die neue Orgel. Professor von Nullmeyer sei auf Erden zwar ein Feinschmecker gewesen, aber immer auf der Suche nach der *großen Praline* (Indianer-Deutsch), die er jetzt genieße als *Sein-bei-Gott und Heidegger*, als Freund Heideggers so formuliert. Das war vor der Testamentseröffnung.

Was Heidegger überhaupt bei uns verloren habe?, wollte Irma, während wir auf den Sotheby-Experten im *Rößle* warteten, wissen. Das wüßte ich auch gerne! sagte ich. So fing es an: Henry hatte die Einladung von Tante Helene überbracht. Er sollte zu einem Vortrag im Haus über dem Elbknick antreten. Ich glaube, der Denker hat gar nicht gewagt, an eine Absage zu denken. Die Wappen und Wimpel der Reederei auf dem Briefkopf haben ihm wohl derart imponiert, daß er zum genannten Termin einfach anreiste. Heidegger war ja ein kleiner Mann, sagte ich, nebenbei auch, um mich etwas aufzuwerten. Er stammte ja aus kleinen Verhältnissen. Dann die Heirat mit der kleinen Offizierstochter. Ein Aufstieg, mit dem er allerdings nur in Meßkirch auftrumpfen konnte. Gut, als Gottfried Benn, ein Dichter, hörte, daß Heidegger wieder einen Vortrag in Norddeutschland, dieses Mal in Blankenese, gehalten habe, schrieb er in sein Tagebuch: *Jetzt reist er auch noch herum!* Er paßte eigentlich nicht zu uns, hat Henry gesagt. Als man ihm eines unserer Schiffe zeigte, ihn in den Maschinenraum hinabführte, tat er zwar interessiert und kundig, verstand aber nichts. Allein der Gedanke, daß er mit seinem Reisebericht bei seiner Meßkircher Verwandtschaft auftrumpfen könne, daß er auf einem richtigen Schiff gewesen sei, daß der Kapitän ihm in seiner Kajüte einen Schnaps angeboten habe, ließ ihn wohl diese Hamburger Tage ertragen. Stell dir vor: Heidegger wußte nicht einmal, was ein Gourmetlöffel ist, gab es aber nicht zu und versuchte, seine Unkenntnis philologisch zu überspielen! Heidegger war doch, genauso wie ich, ein Landmensch, der sich vor dem Wasser fürchtete. Er wurde schon bei der Hafenrundfahrt seekrank, versuchte dies aber zu vertuschen, indem er vortäuschte, er müsse sich nun zur Arbeit zurückziehen. Der abendliche Vortrag war aber schon längst von seiner Frau abgetippt. Er wollte sich einfach noch drei Stunden ins Bett legen. Henry sagte damals: Frau Heidegger kam aus der niederdeutschen Pampa, aber paßte sowenig zu uns wie er. Sie paßte zwar auch nicht zu Heidegger, aber das ist eine andere Geschichte. Zu allem noch der Besuch in der Fischfabrik! Ich glaube, der Denker hat seine Philosophie der Vereinzelung bei uns entworfen, bei uns am Tisch. Die große Tafel hat ihn wohl dermaßen verunsichert, daß er aus dieser Verunsicherung heraus philosophisch profitierte. Es gab Tischdamen, ein Phänomen, das Heidegger als katholische *Freitischexistenz* wohl nicht kannte. All dies steht in Helenes Tagebuch. Und ins Gästebuch schrieb er eine griechische Weisheit, die bis heute nicht entziffert ist (vor Wernher von Braun, hinter Carl Schmitt). Ja, er muß damals bei uns (ich sage nun schon die ganze Zeit *bei uns,* so sehr habe ich mich mit Henry zeitweise identifiziert) unglücklich gewesen sein, es muß ein produktives Gefühl von Unglück gewesen sein. Aber die versammelte Kaufmannschaft und die Leute vom *Haus Seefahrt* waren hingerissen. Da saß ein Philosoph am Tisch und benahm sich sonderbar, das imponierte. Dreißig Jahre später saß er ja dann noch einmal unter ihnen, als Ehrengast bei der Schaffermahlzeit im Frack! Wenn er saß, berührten die Schwalbenschwänze den Boden, sagte Henry als Heideggers Tischherr, denn zur Schaffermahlzeit sind ja bekanntlich keine Damen zugelassen. *Er unterschied sich in allem von uns, und doch: So mochte damals der Wilde bewundert worden sein, den Kapitän Cook von den Gesellschaftsinseln als Geschenk an den englischen Hof mitgebracht hatte,* schreibt Tante Helene. Auch sein Deutsch war schwer verständlich. Als er sich dann von der Tafel erhob, um ein Gedicht vorzutragen (es war Johann Peter Hebels *Vergänglichkeit),* konnte er mit einem solchen Thema vor versammelter Kaufmannschaft kein Gehör finden, so Tante Helene. Das war der

Beginn einer dann lebenslänglichen Beziehung der Nullmeyers mit den Heideggers. Es folgten gemeinsame Schiffsreisen, darunter die berühmte zu den Pyramiden von Giseh. Von da die berühmte Postkartenfolge an seine Schulfreunde und alten Meßkircher, die es doch nicht so weit gebracht hatten, an den Banknachbarn von der Prima, der den besseren Abituraufsatz geschrieben hatte und somit den Scheffelpreis bekam, eine Schmach, die Heidegger zeitlebens nie überwunden hat. Heidegger hätte Henry nicht sitzen lassen, aber Heidegger starb. Er hätte Henry nicht in sein Beatrix-Potter-Elend verstoßen. Kein Mensch war mehr da, niemand von den sogenannten Freunden, von den Tischdamen von einst, keine von den Heiratskandidatinnen, niemand von den Rotariern, vom Tabakkollegium niemand, von den Jakobsbrüdern, von den Nachbarn im Konzertabonnement 1929/30. Was war das für ein Winter gewesen! In Berlin! – Man konnte an einem Abend Bruno Walter und Furtwängler hören.

Doch alle haben Henry abgewimmelt und abzuwimmeln versucht. Was hatte er, außer seinen Schmoll-von-Werth- und Januarius-Zick-Bänden, zu bieten, außer seiner Geschichte? Was sollte ein Denker mit einer solchen Geschichte beginnen? Und mit den Annäherungsversuchen konnte Heidegger schon überhaupt nichts anfangen. Henry hätte schon eine wunderschöne Frau sein müssen, dann hätte der Philosoph vielleicht angebissen. Nun gut.

Wir sind jetzt sehr an der Arbeit, schreibt Heidegger im Pluralis Majestatis, Kurzformel sämtlicher Abwimmelungen zu Lebzeiten aufgrund der Annäherungsversuche Henrys von Anfang der Dreißiger an bis zum Tod. Ich verstehe ihn ja! Heidegger war im Grunde ein feiner Mensch, viel feiner als Henry, und mußte sich ins Abwimmeln flüchten. Andererseits: Dieses lebenslängliche

Getue mit der Arbeit! Hat denn sonst niemand gearbeitet? Und er selbst hat doch zwischendurch auch geliebt oder wenigstens Liebesbriefe geschrieben. Er muß doch geliebt haben! Es gibt diese Briefe doch! – Aber Henry und der Welt gegenüber diese Angeberei, diese *Arbeit,* als ob er sie erfunden hätte. Imponiergehabe, wohl ein Meßkircher Erbstück. Dort mochte man sich mit dem saubersten Treppenhaus brüsten, mit dem frühesten Aufstehen und dem Mit-dem-Besen-im-Hof-Stehen bis in den Samstagabend hinein. Oder gar im Dorf seiner Mutter: Dort konnte man wohl mit der Zahl der Güllenfässer Eindruck schinden, die man im Lauf eines trüben Nachmittags auf den Acker gefahren hatte.

Seine Schritte ins Leben, bis zur Parkplatzschranke hin, mit mir, um der Welt zu zeigen, daß er noch gehen konnte. Zum Zeichen, daß er noch zählen konnte, wurde jeder Schritt laut begleitet: *ein Schritt für Mutti, ein Schritt für Engelbert, ein Schritt für Henry*... Und dann noch einmal, von der automatischen Pforte bis zum Taxistand und retour, diesmal laut zählend. Und dann wieder zum Aufzug, ins warme Zimmer. Ich fürchtete und sah, daß ich Henry in diesem Haus nun nicht mehr sehr lange würde halten können.

»Da geht Nullmeyer! Schauen Sie, wie er noch gehen kann! Das hätte ich nicht gedacht!« sagte die eine, und die andere: »Nein, ich hätte es nicht für möglich gehalten!« Die Damen beobachteten vom Aquarium aus alles. »Er läßt sich zum Gottesdienst fahren!« behauptete Fräulein von Hornstein. Davon konnte keine Rede sein. Nun ist *Gottesdienst* gewiß ein unglückliches Wort und *Glaube* vielleicht auch und *Hoffnung* und *Liebe* ohnehin.

Die Damen standen auf. Ein Teil des Tagesprogramms war somit absolviert. Sie zerstreuten sich wieder. Sie blickten dabei streng, so ungefähr, wie Gräfin Dönhoff, das unerreichte Vorbild, der man auch nichts mehr anhaben konnte: Tausend Kilometer nach Westen geritten! *Die Dönhoff*... Klang das nicht eher nach Schiff? *Die alte Dönhoff*... Nach Schlachtschiff? Und wonach klang wiederum: *die gute alte Dönhoff*? Das klang nach den Kriegserinnerungen eines Fregattenkapitäns – oder nach gar nichts, meinte Henry. »Hier wohnen nur solche Damen!« sagte er. Ist die da drüben nicht Elisabeth Hamm-Brücher? Heißt sie Elisabeth? Und in einer anderen Ecke glaubte er Elisabeth Noelle-Neumann zu erkennen. Und dann sagte er: »Elisabeth Renger ist jetzt auch hier. – Alle sehr anschmiegsam! – Ich muß sehr aufpassen. Am Vogelkäfig sitzt Elisabeth Dingwort-Nußeck... Hatte einmal viel zu sagen, trifft sich morgen mit Elisabeth Schwarzkopf in der Lüneburger Heide, Max Schmeling wird sie zurückfahren.

Ich dachte: Nichts, kein Titel wiegt eine solche Erscheinung, diese Phantasie, dieses Elend auf.

...dann rief ich noch bei Frau Dr. Wally-Kopitzki wegen der Einlieferung zur Frühjahrsauktion an. Sie erinnerte sich sofort an mich, wohl wegen meiner Tölpelhaftigkeit. Und dann streikte auch noch die Wäscherei. Sie wollte die Sachen von Henry nicht mehr annehmen. Was soll ich nur machen? rief ich bei Irma an. Man will ihn wieder einmal hinausschmeißen. Das war noch einige Zeit vor dem endgültigen Zusammenbruch und dem anschließenden Hinausschmiß. Gewiß, ordentlich war Henry nie gewesen. Zwar hatte er zeitlebens mit der Besenreinheit Blankeneses, mit den Blankeneser Verhältnissen geprahlt. Doch nun mußten ihn Zusatzkräfte unter die Dusche stellen, ihn mit einem Schlauch abspritzen. Wenn es stimmt, worüber man in der ganzen Stadt munkelte – freilich nur in den einschlägigen Kreisen, die sogenannte Öffentlichkeit nahm vom alten Menschen keine Notiz –, wurden er und andere sogenannte *alte Menschen* schon vorher mit einem sogenannten *Elektrisierer*, wie man das Gerät im Sauhandel nennt, geweckt und ins Bad getrieben. Namentlich die *alten Menschen*, denen eine Einweisung in eines der Heime bevorstand, hatten das – gerüchteweise – gehört. Mein lieber Henry, der immerhin einmal Professor an der Humboldt-Universität war und im späteren Leben schöne Jahre als Privatgelehrter in Freiburg im Breisgau verbrachte, hat eine Banane bekommen, wenn er sich rasieren ließ. Eine Banane oder eine Trüffelpraline (freie Auswahl) wurden ihm in Aussicht gestellt, falls er sich unter die Dusche stellen und mit dem Schlauch abspritzen ließe. Das hatte ich so mit der von mir angeheuerten Zusatzkraft abgesprochen und einen entsprechenden Geldbetrag bereitgestellt, der mir vorher schon vom Botschafter überwiesen worden war. Generell mußten die Pfleger mit solchen Tricks arbeiten, ganz individuell. Man mußte nur herausfinden, was für jeden das richtige war. Seinem Kollegen von einst, Professor U., blieb alles erspart: Er hatte sich rechtzeitig erschossen, bevor er eingeliefert, bevor er ins Pflegebett überstellt werden konnte. Aber Henry konnte ja nicht einmal richtig schießen. Das Samurai-Schwert, das angeblich zu seiner Verteidigung neben der Wohnungstür – in einem Garderobeständer – lehnte, hätte er gar nicht benutzen können. Das Stück war ohnehin eher eine Sache für Sotheby's.

Durch einen Anruf und tausend Entschuldigungen (unter anderem dafür, daß Onkel – angeblich – keine Pampers tragen wollte und die Putzfrauen beschimpfte) konnte ich eine Ausweisung und Schlimmeres wieder einmal verhindern. Wieder einmal konnte ich Henry retten vor dem Gitterbett auf der Pflegestation und vor den Handschellen von Rottenmünster. Denn eine Kündigung im PLATZ AN DER SONNE hätte die Einlieferung in eines der berüchtigten Pflegeheime der Stadt bedeutet oder gleich die Überstellung in die Psychiatrie, hätte vielleicht ROTTENMÜNSTER bedeutet, wo emeritierte Professoren zusammen mit zwangspsychiatrierten Alkoholikern *Kommt ein Vogel geflogen* singen mußten.

Die Psychiatrische Landesanstalt in Emmendingen galt als vornehmer, besonders die Alterspsychiatrie, seitdem dort Döblin gestorben war, und zumal Goethes einzige Schwester Cornelia ganz nah, allerdings etwas eingezwängt zwischen Bahndamm und Straßen, in Sichtweite ruhte.

»Wir nehmen doch lieber Emmendingen. – Emmendingen hat einen ausgezeichneten Ruf. Es ist führend in der Alterspsychiatrie«, sagte die gute Frau Dr. Klammer, »und in der Einstellung der Medikamente.« Sie kenne die Chefin von Emmendingen, Frau Professor Graf sei eine Kapazität.

Mit Henry wurde es immer verheerender. Es waren ja erst zwei Jahre, seitdem er eingezogen war; ich hatte mir vom PLATZ AN DER SONNE viel versprochen. Aber jetzt war er schon im dritten Jahr auf seinem vorläufigen Tiefpunkt. Was ihm eigentlich fehlte, kann ich gar nicht sagen. Die Ärzte sprachen von Demenz. Wie ich erfuhr, ist dies ein richtiges Verlegenheitswort: Sie wußten auch nicht, was er hatte oder was ihm fehlte. Für mich war es von der Scheffelstraße bis zum PLATZ AN DER SONNE eine Reise. Mit zweimal Umsteigen war ich eine gute Stunde unterwegs. In der letzten Zeit habe ich manches Mal verstohlen das Foto des Ötztaler Eiszeitmenschen, das zur Erinnerung an meiner Pin-up-Wand an einem Reißnagel hing, mit dem Gesicht von Henry verglichen. Der eine war zwar dick und aufgeblasen, der andere ausgemergelt, der Ausdruck war aber derselbe. Beide hatten ihre Zeit hinter sich, ein Abgrund an Traurigkeit und Enttäuschung tat sich auf. Henry griff noch mit beiden Händen nach mir, als er mich erblickte, machte eine Andeutung, aufstehen und mir entgegengehen zu wollen. Etwas Schweres und die Schwerkraft selbst hielten ihn zurück. Daß ein Mensch so schnell *abbauen* kann, hat mich getroffen: Barmherzigkeitswallungen überfielen mich, alle bösen Gedanken, die ein Mensch doch mit sich im Kopf herumträgt, waren wie weggeblasen. Ich stellte mich als ziemlich hilflos heraus. Das Haus war doch nur ein vertuschter Hotelbetrieb; solange alles ordnungsgemäß gelaufen war, solange einfach nur abgebucht werden konnte, ließ man Henry in seiner nun sehr überladenen Wohnung gewähren. Als sich aber Komplikationen einstellten, die Wohnung verwüstet zu werden drohte, hat ihn die Verwaltung abschieben wollen, hinausschmeißen. Wohin, wurde nicht gesagt. Mir gegenüber sagte die drastisch formulierende Verwaltungsdirektorin nur: »Er muß weg!« Vielleicht konnte sie nicht so gut deutsch – oder verwendete sie nur alte Formulierungen? Die Hausärztin hatte nun die Idee mit Emmendingen: Um Professor Nullmeyer für das Wohnstift zu *retten,* sollte er in Emmendingen wieder *auf Vordermann* gebracht werden.

Also die – vorübergehende – Einweisung, um einen Rausschmiß zu verhindern, das war die Strategie. Es kam dann allerdings etwas anders.

Mittlerweile war Henry achtundachtzig Jahre alt geworden. Mit dem Blutspenden war es nun auch aus. Außerdem hatten die Manteuffels herausgebracht, daß sich der Professor als doppelter Witwer aufspielte, im Grunde aber ganz andere Dinge im Kopf hatte, ja, im Haus ging das Gerücht, daß er *Männer* im Kopf habe. Eine regelrechte Schnüffelei, vor allem von den Damen betrieben, die wohl auch gekränkt und enttäuscht waren, muß es gegeben haben. Eines Tages fand Henry in seinem Briefkasten eine Einladung von der Stiftsärztin, Frau Dr. Niemitz, vor, er möge doch in den nächsten Tagen einmal zu ihr in die Sprechstunde kommen. Da ging er auch hin, in Hausschuhen und Bademantel, die Praxis war ja im selben Haus. Es war ihm lästig gewesen, so früh aufzustehen. Er wußte auch gar nicht, was er mit dieser Dame reden sollte und was sie von ihm wollte. Bevor sie zu sprechen begann, lächelte sie etwas. Dann sagte sie, ob er sich nicht vorstellen könne, irgendwo anders viel schöner zu leben, ob er nicht kündigen wolle. Es seien bei ihr Beschwerden eingegangen, daß in letzter Zeit doch sehr viel *Herrenbesuch* im Haus gewesen sei. Es gebe Damen, die hätten Angst, sich mit einer unheilbaren Krankheit anzustecken, kurz, sie müsse ihn bitten, den Arm freizumachen, um eine Blutprobe entnehmen zu können. Die Kündigung würde *mit aller Diskretion* behandelt werden, Onkels *guter Ruf solle keineswegs Schaden leiden.* Es solle alles ganz ohne Aufsehen geschehen. – »Ich denke nicht daran, für Sie Blut zu spenden! Sie sind entlassen!« herrschte er sie an. Also ein Aidstest! Die Ärztin hatte wohl darauf spekuliert, daß bei ihm nun die Sicherungen durchbrennen würden, daß er sie möglicherweise ohrfeigen und ihr den Vorwand liefern würde, die Einweisung nach Emmendingen anzuordnen. Henry merkte gar nicht, daß man einen Aidstest machen wollte. Ihn empörte das Wort *Herrenbesuch.* Daß man im Haus, eigentlich noch mehr als sonstwo in der Welt, Angst vor einer Ansteckung mit Aids hatte, habe ich auch nicht begriffen. Alle, die gesehen haben, daß Henry an ihnen vorbei auf einer Bahre hinausgetragen wurde, haben aufgeatmet, und die anderen, die nur davon gehört haben, ebenso. Denn erst nachdem Frau Dr. Niemitz, die auf die Androhung ihrer Entlassung gar nicht eingegangen war, wie nebenbei ein Pornoheft mit Kontaktmarkt über den Tisch zu Henry hin schob – ob die Unterstreichungen und Randbemerkungen von ihm seien, ob das seine Handschrift sei –, ist er zusammengebrochen. Das hatte er nun von seinem

Leben. Wie war DER NEUE ADAM hierhergekommen? Wahrscheinlich hatte die Putzfrau das reich bebilderte Kontaktmagazin in der Nachttischschublade oder unter dem Kopfkissen gefunden und es, da sonst nur Mutter- und Imma-Fotos in Silberrähmchen herumstanden und herumhingen, doch etwas schockiert nach unten gebracht. »Es geht einfach nicht! Wenn er nicht von selbst kündigt, werden wir ihn hinausschmeißen oder überweisen müssen!« Verwaltung und Medizin waren sich über diesen Fall einig. Die Damen fürchteten die vielen Herrenbesuche, besonders auch in der Nacht, wo man jederzeit in einem dieser langen Flure überfallen werden konnte.

Henry hat sich vertan. Er glaubte, wenigstens auf diesem Gebiet, *alles im Griff* zu haben, dieses wunderbare Doppelleben, abgesichert durch Heiraten, Zelebrieren des Witwer-Status etc. Vielleicht hat ihn diese Sicherheit doch etwas frech gemacht im Auftreten in der Öffentlichkeit; spätestens nach der Abschaffung von Zuchthaus oder Gefängnis, die bis 1969 auf so ein Verbrechen standen (in der Bibel hatte es noch RÜBE AB! geheißen: *Wer so handelt, verdient den Tod).* Von da auch ein insgeheimer Haß gegen die Gesellschaft, in die er sich so glänzend hineingeschwindelt hatte, immer auch ein potentieller Haß gegen eine ihn ablehnende Mehrheit, die ihm im Prinzip den Tod wünschte. Er mußte nur die Umfrageergebnisse studieren, die alle fünf Jahre im SPIEGEL veröffentlicht wurden. Von da wußte er, daß er als Nachbar nicht erwünscht war, noch weniger als ein Zigeuner, Rauschgiftsüchtiger und Säufer. Wären die Fragen am Stammtisch gestellt worden, und zwar die richtigen Fragen, hätte es geheißen: *Weg mit ihnen!* – oder genauer noch: *Rübe ab!* – Nicht umsonst hat sich Henry, einmal gewußt, wo er stand, durchgemogelt, nicht so sehr der Gesetze, sondern der Menschen wegen, die ihn die Spießrutengasse hinabgetrieben hätten und dann auch hinabgetrieben haben. Die Gesetze waren zwar die längste Zeit seines Lebens auch gegen ihn gewesen, sie haben ihn aber vor den Menschen geschützt. Die Gesetze waren viel milder: eine kleine Gefängnisstrafe, wenn Onkel in den Fünfzigern oder Sechzigern in einem Hotelbett bei der Liebe erwischt worden wäre. Es war nämlich in ihren Augen nicht Liebe, sondern Unzucht, – oder wie die Kirche sagte: *Sodomie;* es war nicht Liebe, sondern ein Verbrechen. Außerdem: *Man konnte sich ja jederzeit umbringen,* was immer wieder vorgekommen ist und oftmals die Ideallösung war. Nach Abschaffung des Paragraphen (der in seiner durch die Nationalsozialisten verschärften Form von der nun mit dem sogenannten *Grundgesetz* ausstaffierten Bundesrepublik übernommen worden war) dachte Henry, er sei frei. Er kaufte nun am Hauptbahnhof den NEUEN ADAM, ohne rot zu werden, und hielt das für Emanzipation. Er ließ sich den Beate-Uhse-Katalog unter voller und richtiger Adresse ins PLATZ AN DER SONNE kommen.

Er hätte vielleicht doch nicht so keck Arm in Arm mit Horst, und wie sie alle geheißen haben mögen, durchs Foyer spazieren sollen. Er hätte vielleicht doch nicht verschämt wie eine Braut hinter dem Taxi herwinken dürfen, das Hans Georg zurückbrachte. Nun gut. Das Alter hat er sich wohl so vorgestellt: ab und zu ungestraft einen Boy ins Haus kommen lassen, und dann irgendwann endlich einschlafen, und es sei aus. Aber vorher noch hätte sich der eine oder andere Boy an der Rezeption vorbei zu ihm hinaufgeschwindelt und sich ihm auf den Schoß gesetzt. Kein billiges Vergnügen! Außerdem: das ging alles von meinem Erbe ab. Zu dumm, daß ein simples Kontaktmagazin zum Rausschmiß führte, als schon fast alles vorbei war. »Ich werde noch verrückt!« hatte er oftmals vielleicht zu leichtfertig dahingesagt, aber immer hatte er, vielleicht ebenso leichtfertig, noch Hoffnung. Selbst im Irrenhaus, wohin er ja nicht für immer überstellt wurde, hatte er noch Hoffnung, er hat geglaubt, daß es Hoffnung und Zukunft gebe und sich mit Marzipankartoffeln über die Gegenwart hinweggetröstet.

Sein Fall, bis zur Ausweisung, hatte sich über Monate hingezogen. Erst hatte er einen Brief bekommen, in dem stand, daß seine Anwesenheit bei Tisch nicht weiter erforderlich sei; er werde von nun an auf Zimmerservice umgestellt. Man hatte das Erscheinungsbild, die Ungepflegtheit Onkels, deren Grenze zur Verwahrlosung hin offen war, vorgeschoben, obwohl davon gewiß nicht die Rede war im Brief. Darin stand, daß seine beiden Tischdamen eine Allergie auf die Stoffe entwickelt hätten, die Onkel bei Tisch immer trüge. Der Hauptgrund, einer möglichen Infektion zu entgehen, war nicht einmal angedeutet. Henry lief nun ohne Gebiß herum, das obere hatte er meist in seiner Tasche, aus der er es gelegentlich hervorzog. Gewiß, er sah auch mit Gebiß, Bundesverdienstkreuz am Revers und Clubjackett nicht unbedingt appetitlicher aus. Und wenn er im Foyer der Deutschen Bank in Bademantel und Hausschuhen erschien, fiel er durchaus auf.

Henry gab mir viele Rätsel auf – zum Beispiel warum er sich zeitlebens doch von Damen verfolgt und begehrt glaubte: »Eva-Maria war hier! Ich muß sehr vorsichtig sein! Sie ist sehr anschmiegsam!« berichtete er in aller Regelmäßigkeit. Er sabberte nun schon etwas mehr; wenn es still war, hörte man ihn schmatzen. Auf dem Kragen konnte man nun immer Ablagerungen von Schuppen, Haaren, Speiseresten etc. entdecken. Doch bis zum Schluß sagten die Damen im Haus öfter als nötig *Herr Professor!*

Dann mußte die Wohnung nur noch desinfiziert werden.

Mini-Mental-Status nach Folstein

Hier der Befund:

Demenz bei vaskulärer Encephalopathie. Diabetes mellitus Typ II, nicht insulinpflichtig.

Aufnahmeanlaß waren eine zunehmende Unruhe und teilweise aggressive Ausbrüche gegenüber dem Pflegepersonal in der Seniorenresidenz PLATZ AN DER SONNE *GmbH. Die Vorgeschichte dürfen wir als bekannt voraussetzen. Herr Professor von Nullmeyer hatte sich in letzter Zeit zunehmend zurückgezogen und war zum Teil gegen das Personal tätlich geworden. Nachdem er auf einige Fragen, zum Beispiel nach den Titeln seiner Bücher, nicht antworten kann, wird er plötzlich aggressiv, kann sich aber wieder fangen. Ausgeprägte Zeitgitterstörung.*

Zahnloses Gebiß.

Keine Kontraindikation gegen Antidepressiva.

Nachdem klar geworden war, daß Prof. von Nullmeyer aufgrund seiner Demenz nicht mehr in der Lage ist, ausreichend für sich zu sorgen, wurde Herr Engelbert Hotz, Scheffelstraße 51, Freiburg, als Vormund eingesetzt.

Im Laufe seines stationären Aufenthaltes wurde Herr Prof. von Nullmeyer auch gegen das Pflegepersonal, gegen Mitpatientinnen und gegen die Ärztin tätlich (Ohrfeige). Andererseits gab es Phasen, in denen sich der Patient rührend um seine Mitpatientinnen bemühte.

Diagnostisch handelt es sich am ehesten um eine Multiinfarktencephalopathie bei einer eher eigenwilligen Persönlichkeit.

Saroten- und Fevarintherapie erfolglos abgebrochen.

Prof. von Nullmeyer erreichte im Mini-Mental-Status

nach Folstein neunzehn von dreißig Punkten, was für eine mäßige Demenz spricht.

Nach einem Sturz zog sich der Patient eine mediale Schenkelhalsfraktur zu. Die Operation verlief komplikationslos. Anschließend wurde der Patient wieder in unserem Haus aufgenommen. Prof. von Nullmeyer wurde zunehmend unruhig. Der Patient darf das Bein voll belasten. Von der Krankenkasse wurde ein Gehwagen zur Verfügung gestellt. Nach einigem Training konnte der Patient ausreichend mit dem Gerät umgehen. Prof. von Nullmeyer nahm zeitweise an gruppentherapeutischen Übungen (Basteln, Singgruppe) teil. Dabei verhielt er sich jedoch vorwiegend ablehnend, so daß wir diese Therapie abbrechen mußten.

Der Patient ist weiterhin sturzgefährdet.

Er lese jetzt viel Heidegger, sagte er mir dann bei meinem ersten Besuch. Es war übrigens ein herrlicher Junitag. Das einzige Schwarz war das der Amseln, deren Gesang das Schönste ist, was ich gehört habe, eine göttliche Partitur. Die Anlagen von Emmendingen überraschten mich. Ich hatte gefürchtet, *Emmendingen* müßte schon nach außen hin einschüchtern, irgendwie verrückt machen. Henrys Station lag mitten im Grünen, das Gebäude, wo die Alterspsychiatrie untergebracht war, hell, mit viel Glas gebaut, und neu. Aber die ersten Schritte drinnen in der Welt von Emmendingen waren doch schockierend. Die verrammelte Eisentür-Schleuse, die nach Kinderart ausgemalten Wände, die grellen Farben, das Grün, eine Zumutung, die kleinen, aufmunternden Sprüche und alles, was zu einem Leben hinter Mauern gehört. Da lag er nun, nein, da saß er, in einem Pullover, wohl aus dem Kleiderlager, den ich nicht kannte, in einem Rollstuhl, in einer Art Aufenthaltsraum. Als er mich entdeckte, lächelte er dankbar. »Schön, daß du kommst!« als ob er mich erwartet hätte. »Diese Dummheit, die ich da gemacht habe!« Er sprach von *Gefängnis*, glaubte in einem Gefängnis zu sein und war es auch. »Ich kann mir gar nicht erklären, wie ich hierhergekommen bin!« Um abzulenken, fragte ich, ob er vom Botschafter gehört habe. Der sei doch auch hier, zwei Türen weiter, ich solle doch bei ihm klopfen und ihn grüßen. Dann glaubte er wieder, in einem Sanatorium zu sein. »Es ist nichts zu machen. Ich muß es eben aushalten.« Der Botschafter sei auch da: »Den möchte ich aber nicht als Patienten haben!« Gestern seien sie im Teutoburger Wald gewesen, aber die Gesellschaft hier habe nicht den Rang, den man sich wünsche! – Ich war ratlos. Ob ich ihn herausholen könne? Henry glaubte, daß ich gekommen sei, ihn zu befreien. Nach einer langen Stunde, in der ich ihm meist die Hand hielt und fast nur schaute, wie ein Kind, das noch nicht sprechen kann, sagte ich doch, ich würde ganz bald wiederkommen, jetzt aber müsse ich gehen. Ich mußte mich, wie immer in den letzten Jahren, losreißen, mich mit einer Ausrede davonmachen, an die schönen Rosen erinnern, die ich mitgebracht hatte.

Vielleicht wäre eine Einweisung in die Psychiatrie niemals nötig gewesen, wäre nur ein Mensch dagewesen, ganz für Henry. Den hatte es schon gegeben, aber er war lange tot, von ihm blieben nur Fotos und Erinnerungen. Aber es gab immer noch Schlaftabletten, Schmerztabletten, medikamentöse Hilfe, entsprechende Ärzte, die Henry derart gut auf Psychopharmaka *einstellten*, daß Henry, in einen idealen Dämmerzustand versetzt, nach ein paar Wochen schon wieder entlassen werden konnte. Ich hatte bei meinen Besuchen in der Psychiatrie immer den Eindruck, daß er, falls er überhaupt etwas sagte, noch unsinniger daherredete als draußen. Ich glaube, daß die verrückten Sätze erst von da verständlich sind. Aber sonst war alles tadellos, das Essen, die Betten, das Weiß des psychiatrischen Personals. Der Stationsarzt, dem gesagt worden war, daß Prof. von Nullmeyer Besuch habe, fing mich ab, als ich am Stationszimmer, das unmittelbar neben dem Eingang lag, vorbei nach draußen wollte. Da sie gar nichts vom Lebenshintergrund des Patienten wüßten, wäre er mir sehr dankbar, wenn ich ihm ein wenig von Professor von Nullmeyer erzählen könnte. Ob ich ein Verwandter sei? Was ich von der Mutter des Patienten wisse. Ich sagte, Tante Helene sei schon 1931 gestorben, und kein Mensch habe eine Erinnerung an sie, und kein Mensch wisse noch, wie sie sich durchs Haar gestrichen habe, wie sie den Kopf hielt, wenn sie den Mund öffnete, und wie ihre Stimme klang, sagte ich dem Alters-Psychiater, der ein paar Jahre jünger war als ich. Ja, das sei es gerade: der Professor habe geweint und ausgerufen: »Kein Mensch kennt hier meine Mutter!« – Außerdem habe er immer wieder Angst vor der mündlichen Abiturprüfung im Rechnen und auch davor, *abgeholt* zu werden. Von wem, habe er noch nicht herausgefunden. Der Arzt konnte überhaupt wenig herausfinden. Ich bewunderte ihn, seine Geduld, mit der er alles aufschrieb, was ich ihm erzählte, und seine ganze Arbeit in einem aussichtslosen Fall und, wie ich fürchte, auf einem der aussichtslosesten Felder überhaupt. Nein, es habe gar keinen Zweck, ihn in eine Bastelgruppe zu stecken, ihn mit den anderen *Alle meine Entchen* singen zu lassen. Onkel sei kein Gesellschaftsmensch. Auch wenn er total vereinsamt ist, wie Sie richtig sehen, ist es sinnlos, noch mit einer Gesprächstherapie zu beginnen. Niedergeschlagen fuhr ich in die Stadt zurück.

Tod in Tuttlingen

Die Fahrt von Emmendingen nach Tuttlingen, wo Henry dann noch eine Zeitlang wie ein krankes Haustier lebte, auf Gnadenbrot, war seine letzte Fahrt zu Lebzeiten. Eine Überstellung. Er hat wohl nicht viel gesehen. Ein Rotkreuztransporter, die Scheiben waren aus Milchglas. Außerdem war er per Infusion ruhiggestellt. Außerdem war es ein Regentag. Außerdem hätte es nichts zu sehen gegeben auf jener Fahrt.

In Emmendingen hatte es noch Farbstifte und Wegwerfpapier für Klexogramme gegeben. Das war in der Malgruppe, abwaschbar, Kinderfarben. Es hatte noch Gummibesteck gegeben – oder war es aus Plastik? Den Schlüsselbund in der weißen Manteltasche des Oberaufsehers, ich habe noch den Klang der Schlüssel im Ohr... Das alles entfiel nun. Ich sah gleich die fehlenden Messer bei Tisch... Dort wurde gefüttert.

Seitdem ich die *Aufenthaltssorge* vom Amtsgericht zugesprochen bekam, ein Ehrenamt, dem sich der Unbescholtene, nicht Vorbestrafte kaum entziehen konnte, nicht aber die Finanzoberhoheit, lag es nach dem Rausschmiß in Emmendingen wieder bei mir, *eine neue Bleibe zu finden.* Ganz sachte, *auf Taubenfüßen,* war dieses Amt der Verwaltung von Henrys Leben nun auf mich übergegangen. Es ehrt das Gericht, daß sie mich genommen haben, aber wie ich so schnell ein Pflegebett auftreiben sollte, zumal für einen Menschen, der dafür wohl gar nicht aufkommen konnte, wußte ich auch nicht. In Emmendingen, wo man doch nicht herausfinden konnte, was dem Patienten fehlte, galt er nun nichtsdestoweniger als unheilbar krank, irgendwie geisteskrank, eine Demenz, nicht mehr behebbar, daher – das mag nun vielleicht etwas verrückt klingen – mußte er die Psychiatrie verlassen, zumal, wie es hieß, der Fall doch nicht so dringend war.

In Tuttlingen habe ich dann ein Pflegebett aufgetrieben. Erst habe ich telefoniert, dann bin ich hingefahren und habe mir das Haus angeschaut, dann haben sie mich beziehungsweise ihn genommen. Ich mußte Henry nur noch hertransportieren lassen. Das Haus lag übrigens schön an der Donau, wie überhaupt Tuttlingen sehr schön an der Donau liegt.

Solange der Botschafter lebte, hat er immer wieder, einmal im Frühjahr, dann wieder im Spätherbst, Henry auf ein paar Tage in BRENNER'S PARKHOTEL nach Baden-Baden geladen. Ein letztes Mal, als Henry schon in Tuttlingen war, sein letzter Aufenthalt in der Gesellschaft, der ganz unglücklich verlief. Der Botschafter hatte in diesem Hotel eigentlich Narrenfreiheit; und so seine Gäste. Ich fürchtete schon, daß es dieses Mal schiefgehen müsse, als ich vom Botschafter hörte, er habe Henry in einem Rotkreuzbus in Tuttlingen abholen lassen. Er wolle ihn jetzt im BRENNER'S *auf Vordermann bringen.* Auch zu seiner – des Botschafters – Unterhaltung, und weil Henry am Telefon gesagt habe, er müsse jetzt endlich an seine Memoiren gehen. Er sei, beginnend mit Zeppelin, so vielen *bedeutenden Menschen* begegnet. Damit könne er doch in Baden-Baden anfangen. Im BRENNER'S gebe es doch Tinte und Papier! Solange der Botschafter lebte, hat er sich um Henry bemüht: er war der einzige, außer mir. Dafür hat er eigentlich keinen Dank bekommen. Schon am zweiten Tag Henrys in Baden-Baden klingelte bei mir das Telefon. Der Botschafter. Henry sei schwer krank. Ich solle *sofort* kommen. Ich solle ein Taxi nehmen. Ob ich es bezahlen könne. Was ist denn vorgefallen? fragte ich. Henry liege im Bett. Stelle sich stumm, mache *totes Männchen.* Nein, er lebe noch, aber atme schwer, schnaufe geradezu. Ich solle ihn mit einem Schlauch abspritzen, er habe außerdem das ganze Bett *ver-schissen!* Das sei schon wieder neu bezogen. Aber abgespritzt werden müsse Henry noch, noch einmal. Ob ich so gut sei? »Kannst du das übernehmen? Ist eben ein armes Schwein!« So der Botschafter, den ich wegen seiner klaren Sprache bewunderte. Auch der Hotelarzt fand die richtigen Worte nicht: an der Stelle, wo der Botschafter von *ver-schissen,* mit einem Akzent auf jeder Silbe, gesprochen hatte, hieß es beim Hotelarzt: *zusammengebrochen.* Ich wußte vom Botschafter, daß Henry einfach zu viel und durcheinander gegessen habe. Flambiertes und Gepökeltes, Mariniertes und Geröstetes, und daß er sich irgendwann mit dem Rollstuhl, *obwohl es auch der Stock getan hätte!* so der Botschafter, habe aufs Zimmer fahren lassen, schon andeutend, daß es ihm *gar nicht gut* gehe. Ich ließ es so lange läuten, bis ich wieder an die Zentrale zurückkam und bat, es möge jemand aufs Zimmer von Professor von Nullmeyer gehen und ihm den Hörer reichen. Alles wurde aufs freundlichste erwidert, obwohl ich geradezu sehen konnte, wie sie wegen des Namens *Nullmeyer* die Augen verdrehten. Ich wußte ja, daß der Zusammenbruch simuliert war, was ein Schulmediziner nicht ohne weiteres wissen konnte. Es meldete sich eine weinerliche, den Tonfall eines Schwerkranken imitierende Stimme in einem furchtbaren hanseatischen Singsang. »Was ist denn los?« wollte ich wissen, mehr ungehalten als besorgt. »Es geht mir s-e-h-r schlecht!« Nun wollte ich aber von ihm selbst wissen, was vorgefallen war. Zunächst versuchte Henry, sich mit einem *Ich weiß auch nicht!* und mit Worten wie *auf einmal* und *plötzlich* herauszureden, und sagte dann, daß der Hotelarzt schon dagewesen sei.

»Was noch?« insistierte ich. Ich wollte ja nur hören, ob er die Wörter *kotzen, schiffen, ins Bett scheißen* oder wenigstens *scheißen* sagen würde. Wenigstens am Telefon. Er hat es nie gelernt. »Ach, ich weiß auch nicht!« sagte er, »überall kam nur Schlechtes heraus!« Das war alles. Das wußte ich schon. Aufgrund der Wortwahl war mir klar, daß alles noch viel schlimmer war als *zusammengebrochen.*

Auf dem Weg nach Baden-Baden, der Taxifahrer konnte nur durch einen Rückruf vom Hotel davon überzeugt werden, mich da hinzufahren, dachte ich, daß der Satz: *Überall kam nur Schlechtes heraus* das Eigentliche war, die Quintessenz. Henry war glücklich, als er mich erblickte, schloß aber gleich wieder die Augen. Dann versuchte er sein *Ich-sterbe-jetzt-Gesicht* aufzusetzen. Von wegen *Ich sterbe jetzt!* So einfach sollte er nicht davonkommen. Henry lag in einem Kingsize-Bett und schielte zu mir, dem einzigen Zuschauer, der geblieben war, herüber und wollte den Tod ertrotzen, indem er die Augen zusammenkniff und den Atem anhielt. *Ich muß nur noch den Tod meiner Mutter abwarten, dann werde ich mir das Leben nehmen,* hatte er schon vor siebzig Jahren seinem Tagebuch anvertraut.

»Hast du zufälligerweise ein paar Trüffelpralinen dabei? Ich habe eine solche Lust auf Trüffelpralinen.« Er flehte mich an. Freilich hatte ich Trüffelpralinen dabei. Ich war in den letzten Jahren überhaupt nie mehr ohne Trüffelpralinen zu ihm gegangen. Und dann sah ich wieder einmal, wie er die Trüffelpraline aus der Schachtel nimmt und sein Gesicht dazu und wie die Praline in seinem Schlund verschwindet. Wie er, der lebenslänglich eine Gourmetexistenz vorgetäuscht hat, die Pralinen roh verschlingt, wie er danach seine Finger abschleckt, wie eine Katze oder sonst eines von den kleineren Raubtieren, nur nicht so schön.

Ich verließ das BRENNER'S durch den Hinterausgang, zum Luftschnappen in die Lichtentaler Allee. Auf dem Weg zum Taxi wartete ich darauf, daß irgendeiner in mich hineinfuhr.

Am Sonntagmorgen, als ich nicht in der Kirche war, rief Schwester Sabrina vom Pflegeheim St. Martha an, der Professor habe sich das Leben nehmen wollen. Er habe während einer kleinen Ausfahrt: *Ich will nicht mehr!* ausgerufen und dabei Andeutungen gemacht, seinen Rollstuhl in den Bach – die Donau! – zu dirigieren. Es seien zwar nicht mehr als Andeutungen gewesen, mehr ein Zeigen in diese Richtung, aber dann diese Sätze, eine Art Aufschrei. Diese Einsamkeit müsse deprimierend sein. Ob denn gar niemand da sei, fügte sie hinzu, mit der Betonung auf *gar* und einem Unterton von Empörung, mir gegenüber. Nein, es sei niemand da, sagte ich ihr, daß ich aber kommen wolle, in einer guten Stunde sei ich da.

Ausrichten konnte ich nichts mehr. Fest versprechen mußte ich ihm, daß er von hier wegkomme. Auch im Pflegeheim gab es einen Vogelkäfig: er sollte sich davorsetzen und sich beruhigen, ich wollte in der Zwischenzeit weggehen und Hilfe für ihn holen. Henry hat viele Dummheiten gemacht in seinem Leben, diese letzte war ihm verwehrt. Nicht einmal die Gewalt über sein letztes Fahrzeug war ihm geblieben. Er schaffte es nicht mehr bis zu diesem Wasser, und hätte er es geschafft, wäre es nicht tief genug gewesen. Er hätte sich nur verkühlt. Auf der anderen Seite wäre die Bahnlinie gewesen – zu weit. Blicke ins Gelobte Land hinüber, deutlich zu sehen, die glänzenden Schienen. »Es blieb mir nichts anderes übrig, als ihn ins Haus zurückzuschieben und auf ihn einzureden, daß alles wieder gut werde, nun schon wieder gut sei, ihn ins Bett zu legen«, berichtete Schwester Sabrina. Vielleicht hat sie ihm ein Wiegenlied gesummt? Wahrscheinlicher ist aber, daß sie ihm eine schnell wirkende Schlaftablette gegeben hat. Vielleicht hat er geschlafen, bis ich ihn aufweckte, ihn herausriß, ihn ins Leben zurückbeförderte. Er schaute mich mit einem Walafried-Strabo-Lächeln an, das eine Auge auf mich gerichtet, das andere nach oben hin. In der Anstalt hatte er sich auch für eine Wiedergeburt Walafried Strabos gehalten, er hat zumindest innig von diesem lange verstorbenen Mönch von der Reichenau gesprochen. Der hatte auch gedichtet und geschielt, abwechselnd oder gleichzeitig. Gestorben war er rechtzeitig, möchte ich sagen, mit vierzig, in einem Bach, ertrunken, auf einer Dienstreise für Karl den Großen – oder war es der Dicke? Der Dicke! Die Todesangst... *Todesangst ist nicht einklagbar* (ein deutsches Gericht). Nur Todesangst, keine Antwort. Auch nicht für Henry. Ich fürchte, Henry hat niemals eine Antwort erhalten, sein Leben lang nicht, auf nichts, daher lag er nun hier. Daher war es soweit gekommen. Daher vielleicht der Walafried-Strabo-(*strabo* – »ich schiele«)Blick. Daher vielleicht der Einzelgängerblick dieser Augen, eines für mich, das andere nicht für mich. Die Ärzte hingegen behaupteten, das Schielen sei Folge eines weiter nicht bemerkten Schlaganfalls. Schlaganfall, was für ein Wort!

Der letzte Geburtstag wurde im Pflegebett gefeiert. Beim Wunschkonzert von Radio DRS hatte ich ein Lied für ihn bestellt. Damit er auch hinhörte, setzte ich mich mit einem mitgebrachten Transistorradio neben sein Bett und hielt ihm das Gerät ganz nahe ans Ohr, als meine Zueignung, das Lied *Hab oft im Kreise der Lieben,* abgespielt wurde. Der Ansage, stark gekürzt, lag eine Formulierung von mir zugrunde: »Und nun gehen wir in das Pflegeheim St. Martha in Tuttlingen. Dort feiert heute Professor Henry von Nullmeyer die Vollendung seines neunzigsten Lebensjahres. Er blickt auf ein reiches

Leben zurück und hat immer noch Freude am Essen und Trinken. – Es grüßen sein Neffe Engelbert und seine Nichte Irma.« Henry war gerührt und sagte, daß ich immer das richtige für ihn auswähle. Er war im übrigen der einzige Jubilar des Tages, sonst nur Jubilarinnen. Und weil die Jubilarinnen immer älter wurden, wurde das Mindestalter für einen Gruß im Wunschkonzert auf neunzig hinaufgesetzt. Gab es noch etwas zu jubeln, auch wenn sie Jubilare hießen, auch wenn das Datum mit *Jubelfest* umschrieben wurde? Es waren Glückwünsche für das weitere Leben von Neunzig-, Fünfundneunzig- und Hundertjährigen, die noch wußten, daß sie am Leben waren oder nicht, die jeden Tag noch selbst aufstehen konnten oder schon seit Jahren bettlägerig und *auf fremde Hilfe angewiesen* waren, gegrüßt wurden von Menschen, die sehr an sie dachten und ihnen alles erdenklich Gute wünschten und anstelle der Worte die Musik sprechen ließen: *Im schönsten Wiesengrunde* war der Renner, auch wenn die Jubilarin in Basel geboren war und dort, wie man sagt, ihr Leben verbracht hatte. Bei Henry war es den Tag über still. Eine Abordnung vom Rathaus hat eine Flasche Wein gebracht; und die Deutsche Bank ließ über UPS einen Bildband von Freiburg vorbeibringen.

Wenn ich es nicht mehr aushielt, es war das leere Zimmer, ließ ich ihn vorlesen. Zunächst die leichteren Texte von Rilke. Ich sagte: »Henry, magst du mir nicht etwas vorlesen? Du hast immer so schön gelesen!« Er glaubte nun wieder, in einem Krankenhaus oder in einem Gefängnis zu sein. Henry hat mit großer Begabung Rilke vortragen können; wenn er etwa aus der Abteilung *Vollendetes. Gedichte 1906 bis 1926* vortrug: »Mädchen ordnen dem lockigen / Gott seinen Rebenhang; / Ziegen stocken, die bockigen, / Weinbergmauern entlang //« – ist dies unvergeßlich geblieben. Und auch den späten Heidegger las er mir vor, so daß wir glaubten zu verstehen. Das war aber nur in den ersten Wochen in Tuttlingen so. Ich erinnere mich noch genau, wie ich dann, erwartungsvoll (zum letzten Mal) auf dem Rotkreuzstuhl Platz genommen, ihm schon eine Stelle für die Lektüre aus Heidegger hingelegt und ein ermunterndes *Ich höre!* zugerufen (eigentlich zugeschrien) hatte, wie er in einer Art *Handbewegung seines Lebens* das Buch an sich genommen hatte, wie ich die Stille vor dem ersten Wort hörte, aber dann, statt des entscheidenden ersten Wortes, sagte Henry: *Alles verschwimmt.* Und verstummte. Er versuchte noch eine Zeitlang, etwas zu entziffern, tat so, als ob er lesen wollte. *Alles verschwimmt* war der letzte sinnvolle Satz, den ich von Henry gehört habe. Da hatte er wohl eingesehen, daß er mit Wörtern nicht weiterkäme und nicht weitergekommen war. Es folgte eine Zeit des Nickens und des Blickens, des Versuchs, zu lächeln. Ich nehme an, daß es ein Lächeln sein sollte. Dann die Zeit des Starrens. Danach hat er die Augen geschlossen, aber immer noch weitergelebt. Wie er im Bett lag und sich noch bewegte, wie er sich nicht mehr bewegte, aber noch atmete. Bei meinen Kurzbesuchen habe ich nur noch einen Blick hineingeworfen, auf dieses Bett, auf diesen Menschen hin, habe wissen wollen, ob er immer noch am Leben war, als er schon tot aussah, habe eine Bettfeder genommen und hielt sie ihm vor den Mund: Sie bewegte sich.

»Es kommt kein Mensch!« hatte Henry noch zu Beginn von Tuttlingen durchaus trotzig gesagt, mir, der ich doch der einzige war, der überhaupt noch kam. Ich war der einzige, dem er noch einen Vorwurf machen konnte. Einmal ließ sich ein Sohn von Heidegger blikken! »Welcher?« fragte ich Schwester Sabrina. »Der, der ganz in der Nähe wohnt.« Mein Onkel habe ihn aber nicht erkannt. *Heidegger, ja:* das habe wie eine Frage geklungen.

Schicksalsgläubig war Henry auch noch, so lange, bis sich dieser Glaube erübrigte. *Alles hat seinen Sinn,* behauptet er in seinen Aufzeichnungen immer wieder. Der hat aber gar nichts von Heidegger gelernt! dachte ich.

Wenn ich ihn in Tuttlingen besuchte, konnte ich nicht mitanhören, wie das Singkränzchen, das gleich neben dem Eingang probte, *Alle, die mit uns auf Kaperfahrt fahren, müssen Männer mit Bärten sein* und andere Seeräuberlieder sang. Ich konnte der heimatvertriebenen Frau Behrendt, die mit einem Leibchen bekleidet auf den Gängen ihres Stockwerks zwischen Aufzug und Gästetoilette hin und her irrte, ihre Frage: »Wo bin ich?« nicht beantworten.

Daß der Botschafter nun tot war, habe ich ihm nicht mehr gesagt. »Ich habe lange nichts von ihm gehört. Er könnte sich ruhig einmal melden. Ist wohl auf einer Weltreise«, sagte ich vor mich hin, im Glauben, daß die Toten und die Halbtoten, die Ohnmächtigen und die Sterbenden hören, was am Sterbebett gesagt wird.

Es gab Menschen, die waren und dann weg waren, von niemandem bemerkt, nicht einmal von sich selbst. Sie machten alles, wie man es machte, und in der richtigen Reihenfolge: aufwachen, aufstehen, sich anziehen, hinausgehen und wieder zurückkommen, sich hinlegen und einschlafen, wie man es gelernt hat: beim Anziehen zuerst die Unterwäsche, zuallererst die Unterhose, dann das Unterhemd, die Socken, die Hose, das Hemd, die Schuhe und dann hinaus. Es gab Menschen, die hielten es mit dem Leben insgesamt auf diese Weise und gingen und schliefen ein, von niemand und von nichts berührt.

In Tuttlingen, gerade in seinem Pflegebett, hat Henry mich angebettelt: »Bitte laß mich nicht sterben!« Als ob ich etwas hätte ausrichten können. »Dieser gottlose Mensch!«, dachte ich in meiner ganzen Ungerechtigkeit. Ich habe gehört, daß es auf einer solchen hermetischen Pflegestation, für die man, anders als für den Besuch eines gewöhnlichen städtischen Schlachthofes, gar keinen Passagierschein gebraucht hätte, Menschen gibt, die den ganzen Tag nur noch *Bitte nicht sterben!* vor sich hin sagen. Diese stumpfsinnige Angst vor dem Einschlafen! Doch wehe, wenn der Mann mit dem Letzte-Ölung-Köfferchen hereinkam! Da lebten sie wieder auf. Die Todesangst verging wie das Zahnweh, wenn man auf dem Behandlungsstuhl Platz nahm. Oder nicht?

»Das ist doch alles ganz natürlich! Das Ende ist doch ein natürlicher Teil des Ganzen, du mußt keine Angst haben, lieber Henry! Es ist doch nur ein Nachhausegehen, zurück nach Blankenese«, redete ich dahin, »zu deiner Mutter. Auch ich habe das alles vor mir! Ich werde dir folgen, vielleicht schon bald... Es ist doch alles ganz natürlich.« *Natürlich!* – Sagen Sie das mal einem Menschen, der sterben soll! Die Angst gehörte dazu. Sie war Teil des Ganzen. Sein Sterben hat sich ziemlich lange hingezogen. Als wir uns kennenlernten, hatte es längst begonnen. *Bitte nicht sterben!* – Ich war doch nicht sein Gott. Da lag er nun in seinem Bett, in seinem letzten, und ich ließ alle seine Betten und Zimmer vorbeiziehen, ob ich sie kannte oder nicht, seine Welt, die sich nach dem Prinzip von ZEHN KLEINE NEGERLEIN verwandelt hatte. In seinem Geburtszimmer hatte noch, ich weiß, eine gerade gemalte, gerade trocken gewordene Moorlandschaft von Paula Modersohn-Becker gehangen. Die Malerin hatte das Bild, eines ihrer letzten, noch selbst vorbeigebracht, dann starb sie bei der Geburt ihres Kindes. Ein tadellos schneeweißes Bett. Und wunderbar still alles.

Als ich dem Botschafter gleich zu Beginn der Tuttlinger Zeit meldete, Henry sei *gestürzt,* eine Oberschenkelhalsbruchoperation stehe bevor, sagte er: »Wir hoffen das Beste! Du weißt, was ich meine!« Aber nach drei Tagen ließ sich Henry schon wieder in seiner Welt, die nun auf ein Stockwerk reduziert war, herumschieben. Als ich wenig später meldete, Henry sei nun komplett verstummt, wolle nur noch essen, mache nur noch ins Bett, fragte er, mit einer Andeutung von Verzweiflung: »Kannst du ihm nicht etwas geben?« Später fragte mich Irma einmal, ob ich denn nie an eine Autopsie gedacht hätte. In diesem Kopf habe vielleicht doch nicht mehr alles gestimmt. »Was hätten wir schon davon gehabt, liebe Irma!« antwortete ich ihr. – Wahrscheinlich war sein Hirn schon ganz zerfressen, wenn nicht aufgelöst. Weg! An der Stelle von Hirn nur noch Wasser, Eiter, Masse; ein Loch, gefüllt mit einer stinkenden Brühe: das war Henrys Hirn, bis zum Platzen gefüllt mit nichts, mit nichts als einer stinkenden Flüssigkeit; und wenn der Pathologe aufgeschnitten oder auch nur hineingestochen hätte, wäre er angespritzt worden; ein Strahl, wie wenn man in eine Bockwurst hineinsticht, die gerade aus dem Kessel kommt und dir die Pfoten verbrüht – ich denke von zu Hause her. Das ist die Freude des Pathologen!

Wir hielten uns mit dem Gedanken über Wasser, daß wir nicht so wie er waren und sein würden. »Da stimmte doch etwas nicht mit diesem Kopf!« sagte ich mir, um mich über alles hinwegzutrösten. Über eine Exhumierung hätten wir vielleicht noch erfahren können, wie es in seinem Kopf aussah. Doch es wäre nicht einfach gewesen, die Genehmigung zu erhalten, und wozu auch! »Unsere Toten gehören uns nicht, Irma! Lies mal, was in deinem Paß steht: ›Eigentum der Bundesrepublik Deutschland.‹ Das bist du!«

Henrys Vermögen war immer weniger geworden. Zuletzt hatte er nichts mehr. Nicht einmal das Bett gehörte ihm. Nun lag er in einem Anstaltsbett. Ein Zivildienstleistender kam herein und brachte das Essen, er wurde gefüttert. Nie hat er *richtig* an Selbstmord denken können. Trüffelpralinen, zum Beispiel, haben den (süßen) Gedanken, diese Welt zu verlassen, gar nicht erst aufkommen lassen. Wie oft hatte mir die Ausflucht, selbst Schluß machen zu können, wenn ich am Ersticken war, das Leben gerettet! Der Gedanke ans Schlußmachen hat mir immer wieder über alles hinweggeholfen. Doch Henry blieb nicht einmal dieser Trost. Allein die Appetitdrüse schien nun noch zu funktionieren. Abwechselnd die Angst vor dem Tod und der Appetit, sonst nichts. Henry war dieser lebenserleichternde, lebensermöglichende, lebensrettende Gedanke, Schluß zu machen, versagt, weil immer der Hunger dazwischenkam, weil es immer gleich etwas zu essen gab. Andere im Haus und auf der Welt brachten sich um, er fraß sich durch: es war ja nur noch ein Fressen. »Nach dem Essen, wenn der Teller leergeschleckt ist, fällt er in seine Depression zurück«, sagte mir der Pfleger. »Wenn ich ihm den Teller wegnehme, hat er gar nichts mehr. Dann hilft nur noch die Schlaftablette.« Henry war nur noch ein Bündel aus Angst, Appetitdrüse, Aufschnarchen und Aufwachen, aus Augen und Schlaf.

»In einer anderen Sprache kommt eben auch anderes zur Sprache!« hatte er noch vor wenigen Tagen die Lektüre der Häschenbände von Beatrix Potter in der Originalsprache gerechtfertigt. Die schönen Quartbändchen, alles Erstausgaben vom Kaninchenbuch an, in denen Henry angeblich schon seit dem vierten Lebensjahr gelesen hat, waren seine letzten und einzigen richtigen Lebensgefährten.

Ich hatte ihm diese Bücher, zusammen mit einigen wenigen anderen, von denen ich geglaubt hatte, sie würden ihn vielleicht doch noch einmal weiterbringen, in das kleine einreihige Regal rechts am Bett gestellt.

Als er mit Heidegger längst aufgehört hatte, hat er immer noch im Häschenbuch gelesen, vielleicht auch nur geblättert, möglicherweise auch noch am letzten Abend, vielleicht auch nur im Geist. Tatsächlich lag das Häschenbuch, vom Bett gerutscht, unter dem Sterbebett, auf dem Anstalts-PVC, als ich der Nachtschwester half, das Bett nach unten zu schieben.

Zuletzt war alles vorbei, doch *zuletzt* ist eine Untertreibung. Plötzlich war alles vorbei, doch *plötzlich* ist auch nur eine Untertreibung. Lange zuvor war er verstummt, lebte aber noch. Irgendwann regte er sich nicht mehr. Es war vollbracht. Hinab in die Tiefkühltruhe! Und auf dem Nachttischchen lag HIER KOCHT DER WIRT, ein Kochbuch oder Gourmetführer, in dem er freilich auch nur noch geblättert haben kann, seines lebenslänglichen Appetits, der abgebildeten Menus und Köche wegen.

Er sah auch nicht anders aus als sonst. Ja, ich glaube, daß er tot nun sogar noch etwas besser aussah, wenn *auch auf dem Totengesicht* das sogenannte *Verklärte* fehlte.

In einem Gitterbett und festgebunden: so hat er die Welt verlassen.

Herz, Arsch und Seele

Eine Urne, fast eine Schachtel

Trauerfeier am Montag, den 15. Oktober um 14 Uhr, Dorffriedhof Blankenese (bei Hamburg). So meine Angaben in der Lokalzeitung. Dazu mein Name *(Für alle Angehörigen)* und die Traueradresse. Und dann hat man mich – oder ihn – noch ein letztes Mal bestohlen. Man hat in der Scheffelstraße 51 eingebrochen und – wie ich vermute – die Trauerpost aufgerissen und die beigelegten Scheine herausgenommen. Vielleicht haben sie auch die Trauerbriefe ungeöffnet mitlaufen lassen; zu Henrys Gunsten nehme ich das an, es muß doch etwas an Trauerpost zusammengekommen sein während unserer Hamburger Woche. Dennoch: Die Einbrecher haben, wohl aus Wut, daß sie nichts Rechtes fanden, auf mein Bett gepinkelt.

Wir haben nie erfahren, wieviel Trauerpost eigentlich gekommen ist. Zur Trauerfeier kam kein Mensch. Wir waren die einzigen; das kam zu unserer Trauer hinzu, daß wir ganz allein waren. Im Grunde trauerten wir ja auch nicht. Wir brüsteten uns mit unserer Trauer, die niemand sehen konnte, außer den Friedhofsangestellten. Dabei machten wir nur die Gesichter von Trauernden, innerlich strahlten wir. Ganz aufrecht und erleichtert betraten wir die Trauerhalle, gingen wir mit der Aufrechtigkeit von Erben auf die Urne zu.

Es war eine Beisetzung nach dem Armenrecht, vom Sozialamt übernommen. Dem Gericht, das mich zum Vormund bestellt hatte, und dem Sozialamt erklärte ich vorerst, es sei nichts mehr da, obwohl ich insgeheim vom Gegenteil ausging. Zum Schein ließ ich den städtischen Müllcontainer kommen, den ich mit dem Dreck

Henrys füllte, mit dem, was noch geblieben war; und zum Beweis machte ich ein Foto davon. Die Rechnung fürs Ausräumen in Tuttlingen, meine Spesenforderungen etc. schickte ich ebenfalls ans Sozialamt. Den Rest hatte ich längst nach Waldshut fahren lassen, wie Henry das gewollt hatte. Vom Konto in Basel wußten die offiziellen Stellen nichts.

Aber ein opulentes Begräbnis hatte Henry doch angeordnet, allerdings vor langer Zeit, damals, als es für ihn noch ein Fest war, über die *Letzten Dinge* nachzudenken. Der Botschafter sollte für alles aufkommen, das war so abgesprochen. Dieses letzte große Fest sollte er für ihn noch ausrichten. Doch der Botschafter war tot; und testamentarisch war diesbezüglich nichts geregelt. Also beschloß ich die kleine Lösung, die Abwicklung über das Sozialamt nach dem Armenrecht. Henrys Ursorge, ein anständiges Begräbnis zu bekommen, hat sich aufgelöst. Nicht einmal für einen anständigen Sarg hat es gereicht. Wenn das Tante Helene wüßte! Von wegen Zinksarg! Und schon gar nicht reichte es für den Bertolt-Brecht-Test, den Henry in seinem mir an seinem siebzigsten Geburtstag übergebenen Schreiben *Die letzten Dinge betreffend* angeordnet hatte: nach Brechtschem Vorbild wollte er sich vom Chefpathologen der Universitätsklinik unter juristischer Aufsicht einen dicken, verrosteten Nagel durchs Herz treiben lassen, um ja nicht scheintot in den Ofen geschoben zu werden. Doch was tun, wenn nicht einmal das Geld für die Sterbewäsche da ist!

Ich habe auch, ganz unabhängig von der *Letztwilligen Verfügung*, daran gedacht, als kleines Gegenzeichen für alle die Erniedrigungen, die mit dieser Begegnung verbunden waren, als Symbol meiner Geschichte und meines Schmerzes sozusagen, Henry zu verkaufen, etwa seine Organe in entsprechenden Journalen zum Verkauf anzubieten, sein Herz, zum Beispiel, oder seine

Augen, ihm eine entsprechende Erklärung zur Unterzeichnung zu unterschieben; schon zu Lebzeiten, aber auch unmittelbar nach seinem Tod habe ich daran gedacht. Ich wußte von Irma, die ja ebenfalls daran gedacht hat, eine ihrer Nieren, ein Auge oder sogar ihr Herz zu verkaufen, daß man davon ganz gut leben konnte. Vorerst lebte sie auch von den Blutspenden, die getätigt wurden, so oft es ging, zusammen mit Klaus: Man legte sich einfach auf eine Bahre der Ambulanz der Universitätsklinik und bekam anschließend sein Geld in Höhe der Spendenmenge. Ja, Irma und Klaus hielten sich auch mit Blutspenden am Leben, das war ein ganz einträgliches Zubrot, so wie auch die Gelegenheitsarbeiten als Versuchskarnickel in der pharmazeutischen Industrie, etwa im nahe gelegenen Basel bei Sandoz oder auch das Modellstehen beim Aktzeichnen in der Volkshochschule. Das alles waren Einfälle, Überlebensstrategien von Klaus und Irma. Ich selbst war ganz stolz auf meine ureigene Idee, in der Rachegelüste und Preis-Leistungs-Denken zusammentrafen, Henry auf eine seltene Art zu entsorgen. Warum eigentlich eine teure Urne kaufen und auch noch drei Tage in Hamburg verlieren! In Freiburg gab es doch ein anatomisches Institut, die suchten doch immer geeignetes Versuchs- beziehungsweise Anschauungsmaterial. Warum Henry nicht für die Anatomie retten, warum ihn nicht schon zu Lebzeiten an die Anatomie verkaufen! So dachte ich und wollte ihm eines Tages, als er noch unterschreiben konnte, einen Zettel hinschieben, auf dem stand, daß es sein Wunsch sei, daß seine körperliche Hülle einmal zum Nutzen der Medizin und zum Fortschritt der Menschheit dem Anatomischen Institut Freiburg in der Bausingerstraße zur Verfügung gestellt werden solle. Um Henry bei der Nachwelt in einem günstigeren Licht erscheinen zu lassen, auch bei mir. Ich hätte ihn doch von Zeit zu Zeit besuchen können. Ihn für die Anatomie retten, dadurch nicht nur sämtliche Begräbniskosten zu sparen, sondern überdies noch eine stattliche Summe dafür zu bekommen. Es sollte eine Totalanatomie sein, ohne anschließende stille Beisetzung, ohne Grab, eine Anatomie für immer, er war zum ewigen Verbleib im Anatomischen Institut bestimmt, als Anschauungsmaterial in einer Formaldehydlösung. »Pfui Teufel, was bist du für ein Scheusal!« sagte ich mir, der ich einen bösen Augenblick lang dieses zu denken imstande war. Aber tatsächlich siegte wieder einmal das Mitleid.

Also die kleine Lösung: eine anonyme Beisetzung. Den Familiengrabvertrag kündigte ich sofort, eine weitere, recht aufwendige Anmietung konnte ich mir nicht leisten. Immerhin: es blieb bei Blankenese, das hat er bekommen, *Henry sieht es doch nicht mehr!* rechtfertigte ich ihm gegenüber, der mir doch all diese Dinge anvertraut hatte, mein Tun. Ich war damals in meiner nihilistischen Phase. »Ich kann immer noch nach Hamburg fahren und dort auf einem der Bänkchen sitzen, die zusammen mit den Forsythien und den Scheinrosen das anonyme Feld einrahmen – und zu Henry und den Toten hinüberdenken.« Über eine Bestechung hätte ich wohl herausbringen können, wo er nun lag. Aber ich wollte es nicht wissen. Die billigste Urne hatte ich auswählen müssen, fast schon eine Schachtel. Mit ihr und Irma war ich dann auf der Basis *Das schöne Wochenende* mit der Bahn nach Hamburg gefahren. Es war damals noch möglich, eine Urne persönlich am Friedhof abzugeben, und zum Beweis machte ich ein Foto davon. Da standen wir nun in der ersten Bankreihe, ich in meinem Straßenanzug, den ich mir für diesen Anlaß geleistet habe, Irma in einem Cocktailkleid, allerdings sehr dezent in den Farben und ebenfalls für eine spätere Verwendung angeschafft, vor uns die Urne auf einem hauseigenen Podest, und wir sagten uns: *Nie wieder!*

Die Hölderlin-Gedichte habe ich ausfallen lassen. Die Musik, ebenfalls angeordnet, kam vom Band. Albinoni? Die Ansprache? Kam sie auch vom Band? War da überhaupt einer, der gesprochen hat?

Ich hatte meinen grausamen Tag.

War Henrys Leben schon zuletzt nicht mehr repräsentativ, kein *großes* Leben mehr, so war das hier gar nichts mehr. Und dies in Hamburg, wo alles begonnen hatte und das er so liebte. In Hamburg kannte ihn praktisch kein Mensch mehr, und einen Freund, der hier irgendwo getrauert hätte und aus Altersgründen nicht kommen konnte, gab es schon gar nicht. Dafür hatte die Stadt Hamburg, an der er mit kindischer Liebe hing, kurz vor seinem Tod folgenden Brief geschickt:

Freie und Hansestadt Hamburg
Gartenbauamt
Abteilung Friedhöfe
Eingang Philosophenweg
Frau Sampurna
Betr.: VORGESEHENE SPERRUNG DER GRABSTELLE AA 30a 6m²
FÜR KÜNFTIGE ERDBESTATTUNGEN (SÄRGE) IN DER UNTEREN SCHICHT
ANHÖRUNG
WICHTIG: IMMER FRIEDHOF UND GRABSTELLE ANGEBEN!

Sehr geehrter Herr Professor von Nullmeyer,
nach einem Gutachten des Landesamtes für Bodenforschung ist der o. g. Friedhof in Teilen wegen unzureichender Verwesung aufgrund ungünstiger Bodenverhältnisse für Erdbestattungen in der unteren Schicht ungeeignet. Davon betroffene Grabstellen sind deshalb nur noch in der oberen Schicht nutzbar. Diese Aussage wird

bestätigt durch die Erfahrungen unserer Mitarbeiter im Rahmen von Aufgrabungen in Grabstellen nach Ablauf der Ruhefristen. Nach unseren Feststellungen verlaufen die Verwesungsprozesse dort nur unzureichend. Deshalb beabsichtigen wir, auch Ihre Grabstelle für weitere Erdbestattungen (Särge) in der unteren Schicht zu sperren. Wir bedauern, daß auch Ihre Grabstelle von den geschilderten Bodenverhältnissen betroffen ist und gesperrt werden muß.
Wir geben Ihnen eine Frist von vier Wochen, sich zu o. g. Tatsache zu äußern.
Dieser Brief ist maschinenschriftlich erstellt und trägt deshalb keine Unterschrift.

Henry war so dumm, sich in Hamburg beisetzen zu lassen.

Wir waren so dumm, unsere Anschrift als Traueradresse bekanntzugeben. Nein, nicht in der FAZ! Das hätte uns vorerst ruiniert. Nur in der Lokalzeitung, den Einbrechern zuliebe, die sich darauf spezialisiert hatten, sogenannte Trauerhäuser zu überfallen. Wir trösteten uns damit, daß es Barbaren gewesen sein müssen, denn – ich wollte es zunächst nicht sagen – sie haben auch in mein Bett geschissen!

Bevor die Urne, zusammen mit unserem Kranzgebinde *(Auf Wiedersehen! Deine Lieben)*, nach dem Tischlein-deck-dich-Prinzip verschwand, ließ ich mir noch einmal alles durch den Kopf gehen: es blieb nichts.

Trotz allem fuhren wir vergnügt zurück. Für Henry gab es nun nichts mehr zu hoffen, wohl aber für uns. Erleichtert, daß wir ihn nun los waren und in Vorfreude auf Sotheby's. Sowohl der Möbel- als auch der China-Experte hatten sich von mir schon einen Termin für Waldshut geben lassen. Ich war mild gestimmt. An meinem Zeigefinger steckte nun der dicke Freundschaftsring, den mir Henry noch in Tuttlingen, als eine seiner letzten Handlungen, übergestreift hatte. Oder war ich es selbst, der Henry diesen Ring noch auf dem Totenbett abgenommen hatte, was nicht einfach war? Auch dieser Ring, ein Zweikaräter, antike Fassung, alter Schliff, beste Provenienz, war nicht für meine Hand bestimmt, sondern für die Schmuckauktion in Genf.

Ein kleines Nachspiel noch zu Blankenese: Auch unser Kranz, der einzige überhaupt, wurde gestohlen, und zwar von der Stelle weg, wo die *anonymen* Kränze liegen. Ein Brief von der Friedhofsverwaltung, in dem genau aufgelistet war, was fehlte, teilte mir mit, was ich nicht wissen wollte. Nur die Schleife mit unserem Namen ist geblieben. Sie könne per Nachnahme zugestellt werden. Den Rest konnte ich mir dazudenken. Wahrscheinlich landeten die roten und weißen Nelken und das Grünzeug auf der Mönckebergstraße, wo sie, von Obdachlosen und Junkies in Sträußchen verwandelt, angeboten wurden. Gut so.

Warum ich auch als Vegetarier gescheitert bin

Jetzt ein neuer Mensch werden! Das hatte ich mir, an Henrys Urne stehend, vorgenommen. Ich wußte noch nicht genau, was für einer – und wie. Nach der Beisetzung fuhr ich hoffnungsfroh zurück. Deutschland ist schön. Ich fand es, vom IC-Fenster aus, sogar wunderschön. Henry war nun versorgt. Auf mich warteten nun all die schönen Sachen; der Brief vom Amtsgericht mit der Benachrichtigung, daß der Erbschein zur Abholung bereitliege, dürfte auch schon da sein, dachte ich. Wir tranken ein Bier nach dem anderen und waren wieder einmal dankbar, dankbar dafür, daß es Onkel gegeben hat, und dafür, daß es ihn nun nicht mehr gab. Die Kälte war einer euphorischen Grundstimmung gewichen. Ich habe mir dann fest vorgenommen, nun ein gutes Werk zu tun – und zwar an mir selbst, da ich die übrige Welt doch nicht so schnell verbessern könnte, wie ich längst bemerkt hatte. Auf dieser Rückfahrt habe ich mir vorgenommen, endgültig ins streng vegetarische Lager zu wechseln, Henry und seinem Gourmetgehabe, aber auch meiner Blut-und-Leberwurst-Existenz vom *Rößle* her abzuschwören. Ich beschloß *feierlich* (aufgrund des Bieres), vom bekennenden (der ich nun schon lange genug war) zum tatsächlichen Vegetarier, und zwar in seiner strengsten Erscheinungsform, aufzusteigen. Immer wieder war ich rückfällig geworden. Denn bisher konnte ich mir das teure, in der Komposition aufwendige Vegetarierleben gar nicht leisten. Für die sogenannten Puddingvegetarier, die von Pommes frites und Gummibärchen lebten, was ich mir auch noch hätte leisten können, hatte ich nichts übrig. Die letzten Jahre hatte ich im Grunde aus der Dose gelebt, aber mein Körper würde die Umstellung schon verkraften. Als die Minibar vorbeikam, nahm ich anstelle des Salamibrötchens ein Käsesandwich und zwei Dosen Bier. Ein guter Anfang! Allerdings frage ich mich jetzt, ob das vom vegetarischen Standpunkt aus zusammenpaßte oder gar erlaubt war: Käse und Bier, Säufer und Vegetarier? Ich fürchte, es paßt nicht zusammen, so wenig wie sonst etwas an mir.

Immer wieder habe ich gewollt, aber das Fleisch war zu schwach. Im entscheidenden Augenblick, wenn das Schnitzel oder die von mir so sehr geliebten sogenannten *selbstgemachten* Bratwürste oder nur ein guter Schwartenmagen, eine herrliche Blunzen vor mir auf dem Vesperbrett lagen, wurde ich schwach. Meine Philosophie als bekennender, aber nicht praktizierender Vegetarier ging dahin, alles sogenannte *Selbstgeschlachtete* zu akzeptieren und nur jenes Fleisch zu essen, bei dessen Schlachtung ich zugegen war. Das Lebewesen sollte dafür gefeiert werden, daß es sich hingab. Das Opfer sollte ein Schlachtfest sein. Den Fall zu Ende gedacht, dachte ich, müßte ich selbst Hand anlegen, das Schwein selbst aus seinem Verschlag an den Ohren herausziehen, ihm dabei gut zureden, es streicheln; und dann, *ist schon gut!* vor mich hin sagend oder *Kommt ein Vogel geflogen* vor mich hin singend, ganz schnell mit dem Bolzenschußapparat kommen und in das Leben hineinschießen, unter Mithilfe meiner Nächsten den Hals aufschneiden, dies wegen des Blutes für die Schwarz- und Blutwürste, die ich am meisten liebte. Kurzum, auf dieser philosophischen Zwischenstufe erklärte ich mir selbst die Zusammenhänge. Tatsächlich lebte ich aber aus der Dose. Nur über die Theorie und gelegentliche Fahrten ins *Rößle* ließ sich eine Verbindung zu Hausschlachtung und Selbstgeschlachtetem herstellen. Ich habe lange genug meine eigentliche Fleischleidenschaft, diese Höhepunkte der fleischlichen Lust, zur vertuschen versucht. Immer wieder habe ich meinen Körper und mein Fleisch abschrecken müssen, so durch Vegetarierkampagnen, die eigentlich auch grauenhaft waren, wo ich auf Plakaten Aasgeier erkennen konnte, die in irgendeine tote, ehedem belebte Masse hineinpickten. Umsonst: am Ende landete ich doch – selbst im SALATGARTEN – bei der Vollkost in Fleischküchleform, bei irgendwelchen, oft faden, anscheinend vegetarischen, gebratenen Bouletten, die mir die Illusion von Fleisch gaben, bei der vegetarischen Illusion. Jetzt aber, an einem neuen, entscheidenden Abschnitt meines Lebens angekommen, konnte ich mich nicht einfach damit herausreden, daß ich mir die vegetarische Küche nicht leisten könnte: Sotheby's hatte sich schon angemeldet.

Immer wenn ich – damals – rückfällig wurde, rechtfertigte ich mich mit dem Argument, daß unter den abscheulichsten Kreaturen, die diese Erde hervorgebracht hat, auch Vegetarier gewesen sind. »Du kannst dein geliebtes Wiener Schnitzel ruhig weiteressen!« redete ich mir ein. Aber kaum war ich mit meinem Wiener Schnitzel zu Ende, stieß ich erneut auf ein fürchterliches Plakat. (Das heißt nun nicht, daß ich nur über Plakate zu meiner Überzeugung gefunden hätte). In der U-Bahn-Station *Karl-Marx-Hof* in Heiligenstadt bei Wien sah ich eine Kuh in Todesangst. In den Todeszwinger eingespannt, näherten sich von oben her zwei an den Bolzenschußapparat gepreßte Hände auf dem Weg zur richtigen Stelle zwischen den Augen, die panisch, *bei vollem Bewußtsein,* in die Welt schauten. Drunter stand der Satz: *Ihr Schnitzel hatte Gefühle.* Ich war auf dem Weg nach Grinzing. »Mit dem Backhendel wird es heute nichts!« mußte ich mir sagen, auch wenn das Bild eine Kuh zeigte. Ein probates Mittel gegen das Fleisch war immer auch gewesen, mit Henry essen zu gehen. In späteren Jahren genügte schon sein Anblick, daß ich gar nichts mehr bestellen wollte, auch nichts Vegetarisches.

Da ich mich in meiner Heimat der Übermacht der Fleischfront ausgeliefert sah, dachte ich daran, zu kapitulieren. Oder auszuwandern. Aber wohin? Die Nachbarländer waren alle nicht vegetarisch, ganz im Gegenteil. Japan oder China, abgesehen davon, daß ich nie gehört habe, daß irgendein Mensch dahin geflohen sei, kamen für einen Vegetarier doch schon gar nicht in Frage. Dort aß man alles: Ich hatte gehört, daß in Shanghai irgendwelche Lebewesen, die in irgendwelchen kalten Suppen schwammen, herausgefischt wurden und nicht nur roh, sondern sogar lebend, als die begehrtesten Lebewesen der Küche von Shanghai überhaupt, verschlungen wurden. Japan hatte den Gourmetlöffel erfunden, auf den ein ganz bestimmter Minikrebs, dessen Namen ich vergessen habe, kroch, man spülte ihn mit etwas Sherry hinunter. In ganz Afrika aß man Ameisen vom Boden weg, in Nord- und Südamerika wurden ganze Rinder an riesigen Eisenstangen gegrillt, von denen man sich sein Filet abschneiden ließ, das noch im Blut schwamm. Ein solcher Schmaus galt als Höhepunkt des Sommers zwischen Texas und Patagonien. In Grönland biß man den Kopf des Herings einfach weg und spuckte ihn aus, nur die Augen waren dem Feinschmecker heilig, und so auch überall nördlich vom Polarkreis. Auch Henry und der Botschafter hatten immer wieder behauptet, die Augen seien das Beste am Fisch, und haben sie, ob in BRENNER'S PARKHOTEL oder auf der BÜHLERHÖHE, genüßlich herausgelutscht, wie ich als Gast und Zuschauer sehen mußte. Wohin also? Nach Indien! Auf dieser Welt blieb nur der indische sogenannte *Subkontinent* übrig. Das war, vom *Rößle* aus gedacht, wo das Herrmännle sagte, allein wegen unserer Blutwurst wolle er noch einmal geboren werden, am weitesten entfernt. Was das *Rößle* betrifft, so habe ich meinen vegetarischen Glauben immer verheimlichen müssen, ich wäre ganz und gar durchgefallen, hätte ich nicht gierig nach der dampfenden Schlachtplatte gegriffen. Aber Indien! Was ich allerdings in einem Dokumentarfilm gesehen hatte, waren Gestalten, die gar nichts zu essen hatten, auch nichts Vegetarisches, wohingegen es ganz fette Brahmanen und Brahmaninnen in Saris gab, die sich mit der weltumspannenden Eleganz der Dicken fortbewegten, ein Phänomen, wie ich es auch an Onkel beobachtet habe und auch in einem Dokumentarfilm über Fastfoodexistenzen in den USA, bei Amerikanerinnen mit afro-amerikanischem Background, deren Alternative der Puddingvegetarier gewesen wäre. In Indien gab es noch heilige Kühe, warum nicht!, mir waren sie auch heilig, und hinduistische Tempel für Ratten, wo entsprechende Priester diese Tiere mit nach Spezialrezepten von Gläubigen gebackenen Torten mästeten. Das war auch nichts. Und die buddhistische Lösung? Das Fleisch wie das Leben verneinen und es zu Ende bringen? Das wäre es gewesen, doch ich fürchte, die hätten mich wegen meiner Herkunft und Abstammung aus dem *Rößle* gar nicht haben wollen, die *Rößle*-Erziehung stand dieser Lösung im Weg, Viehhändlerschicksal… Damals sann ich auf ein Land, wo ich atmen konnte, jenseits vom *Rößle*, von Henry, seiner Freßsucht und seinem Genießergehabe. Ich suchte ein Land, wo es so etwas nicht gab. Allein, ich fand keines. Selbst noch auf den Komoren gab es Menschen, die auf Kokosnußpalmen stiegen und lustvoll den Saft aus den Spitzen der obersten und frischesten Palmblätter heraussaugten und dazu ein Gesicht machten wie Henry, als er zum ersten Mal den Gourmetlöffel zum Mund führte, und mit Augen, die schauten wie Henry beim Flambieren des Hauptganges.

Nun aber war Henry tot, und nach allem dachte ich, daß, wenn überhaupt noch, jetzt der Augenblick wäre, noch einmal ganz von vorne anzufangen.

In Freiburg angekommen, suchte ich gleich die entsprechenden Nummern im Telefonbuch. Ich war in Fahrt. Auch ANIMAL PEACE wollte ich beitreten. Bisher war die ADAC-Mitgliedschaft meine einzige. Die wollte ich überdies kündigen. Anstelle von ADAC in Zukunft ANIMAL PEACE.

Am Band lief eine Ansage, daß am Freitag um 20 Uhr ein Lichtbildervortrag mit anschließender Diskussion in der BRENNESSEL, Eschholzstraße 17, stattfinde. Da bin ich hingegangen. Das Thema lautete: *Von der Geburt bis zur Ladentheke – Der Lebenslauf einer Kuh.* Es war ein ergreifender Vortrag. Wut und Tränen mischten sich auch bei mir. Die vegetarische Option aufgrund von Bildsequenzen, von Köpfen, die im Fleischwolf verschwinden, aus denen Fischfutter wird. In der Diskussion meldete sich ein Ökometzger, der aber niedergezischt wurde. Ich weiß nicht, was er sagen wollte. Es gab auch einen theologischen Beitrag: ein Palästinenserschalträger fragte nach den Hintergründen des Abendmahls. Um die Kannibalen rumzukriegen, die damals noch weite Teile der Erde bevölkerten? Eine Frau brachte die Gewaltbereitschaft der Männer mit dem höheren Pro-Kopf-Fleischverbrauch, statistisch gesehen, in Verbindung. Mit einem Unbehagen wartete ich auf die Straßenbahn, um in mein Souterrain zurückzufahren. Dort konnte ich wegen der Bilder nicht einschlafen. Trotzdem ging ich nächste Woche wieder hin. Ich fand heraus, daß zumindest die Freiburger Gruppe sehr schwierig war, lauter schwierige Erscheinungen, die sich organisiert hatten. Zwar kamen Figuren wie meine Brüder oder der Botschafter oder Henry nicht vor, zumal die Frauen überwogen, und doch: Magermilchgesichter, die auftrumpften, schien mir, die mich auf den ersten Blick nicht begeistern konnten. Ich hatte die Empfindung, auch hier nicht ernstgenommen zu werden und schon gar nicht einer von ihnen und anerkannt zu sein, obwohl ich mich ja gar nicht meldete, nur zuhörte und zusah. Es war ein Anblick, den ich eigentlich nicht ertrug. Von ihnen weg hätte ich direkt zu den Fleischfressern flüchten müssen, zum Fleisch selbst. Meine Vegetarier sahen alle irgendwie furchtbar aus, grauenhaft grau im Gesicht, irgendwie selbstgestrickt und krautfleckig, obwohl sie ja recht hatten und haben, wovon ich immer noch überzeugt bin. Es blieb ja – leider – nicht bei der Ablehnung der Fleischfresserei. Getrunken haben die auch nicht! Tomatensaft oder weißen oder blauen Traubensaft aus 0,2-Liter-Fläschchen einen ganzen Abend lang! Was für ein Bild! Die Gespräche, die nach der Diskussion noch geführt wurden, kann man sich dazudenken. Und bis sie sich erst entschieden hatten, was für ein Fläschchen es sein sollte, wie sie sich anstrengten, wie sie die Karte studierten und Gesichter machten, als ob sie Genießer wären. Nein! – Ich muß auch heute noch sagen: gemütlicher war es bei den anderen, bei den Fleischfressern, bei denen, die richtigen Appetit hatten, bei jenen, die hineinbissen.

Die schönen blauen Küchenstühle

Gleich nach der Beisetzung, noch vor dem ersten Vegetarierabend, war ich zusammen mit Irma nach Waldshut gefahren, um die Expertenbesuche von Sotheby's vorzubereiten. Die Sachen, die ich im Lauf der vergangenen Jahre dort untergebracht hatte, zum Teil auf Anordnung Henrys, zum Teil auch durchaus eigenständig beiseite geschafft, waren in einem aufgelassenen Stall, durch alte Filz- und Roßhaardecken geschützt, sicher und unauffällig verwahrt.

Die Benachrichtigung von Amts wegen hatte ich ja mittlerweile erhalten. Diesen wunderbar nüchternen Brief hatte ich unter meiner Post vorgefunden und war dann, mit dem Personalausweis ausgestattet, zum Amtsgericht gegangen. Ich las, daß Irma und ich als Erben eingesetzt waren. Ich hörte mein Herz schlagen und entfernte mich schnell nach Hause, wo ich – ziemlich atemlos – schließlich auf meinem Bett zu sitzen kam. Ich hatte gewußt, daß es immer weniger geworden war, was das Barvermögen, die Wertpapiere etc. anging, und daß die Immobilien längst veräußert waren. Die *Letztwillige Verfügung,* die ich nun in der Hand hatte, war ein ziemlich dickes Konvolut, das ich zunächst nur überfliegen konnte, es sah mehr nach Manuskript als nach Testament aus. Ganz oben hatte zwar kurz und bündig mein Name gestanden, mit einer Begründung, warum er mich und Irma bestimmt hatte. Dann aber folgte der Abschnitt *Vermächtnisse.* Eine Unzahl von Namen und Posten war da aufgeführt. Das meiste war längst verschwunden, sowohl die Inhaber der Namen, indem sie gestorben, als auch die Posten, indem sie längst *ver-*

äußert waren. Auch das Basler Konto war, wie ich bei einem Kurzbesuch erfahren habe, geplündert. Daß bei der Deutschen Bank nichts mehr lag, wußte ich. Irgendwelche geheimen Schließfächer, auf die ich spekuliert hatte, gab es nicht. Auf dieses Testament bezogen, stellte sich der Satz: FÜR DICH IST GESORGT! als blanker Hohn heraus. Es hätte nicht einmal für die Sterbewäsche gereicht. Ich lehnte schließlich ab.

Zum Glück war ich diesem Satz gegenüber immer auch mißtrauisch gewesen und hatte, ganz unabhängig von ihm, über die Jahre dieses und jenes *retten* können. »Das ist aber ein sehr schöner Stuhl!« hatte ich zum Beispiel gesagt, »etwas abgewetzt! Ich kenne ein günstiges Polstergeschäft! Werde ihn für dich wegbringen!« Und schon war das Möbel auf meinem Rücksitz, wenig später in meinem Lager. Wenn ich nun mein Gewissen erforsche, so kann ich sagen, daß ich an diesen Satz wie an Gott immer geglaubt und nicht geglaubt habe. Ich kannte ja das Beispiel Karl-Heinz: dem wurde, wie er mir glaubhaft versichert, in seinen besseren Tagen, noch als Student, von einer alten, *wohlhabenden* Dame, bei der er sich unter dem Dach eingemietet hatte, gesagt: FÜR SIE IST GESORGT! Ein paar Fahrten in den Schwarzwald, ein paar Mal die Kaiserstraße auf und ab, einige Nachmittage als Gesellschaftsonkel bei der Baronin von Bock als Vorleser *(im ganzen Raum Parfum – mir wird heute noch schwindlig!)*, und dann war er schon auf diesen Satz hereingefallen. Er habe durchaus nicht gedacht, am Ende dieses Lesemarathons als Alleinerbe dazustehen, nein, er hatte nur den Satz FÜR SIE IST GESORGT! im Ohr, als er eines Tages auf die Leiche der Baronin stieß. Karl-Heinz lief nun, wie er sagt, einen Nachmittag euphorisch durch die Stadt und träumte schon von einer Einbauküche. Aber eine Benachrichtigung von Amts wegen habe er nie erhalten. Damit war im nachhinein eine sogenannte *Altersfreundschaft* zu Ende. Noch einige Zeit habe Karl-Heinz gedacht, das Ganze werde sich als Schwindel herausstellen, gemutmaßt, die Erben hätten das richtige Testament beiseite geschafft, habe an das gute Herz der Baronin geglaubt. Der Glaube hat sich als Irrglaube herausgestellt, und mit dem Satz FÜR SIE IST GESORGT! hatte er einen Satz fürs Leben, einen, den er in seine Witze einbauen konnte. Dann habe er aber doch von den Erben gehört, einen Auszug aus dem Testament übermittelt bekommen, und unter *Vermächtnisse* habe da gestanden: *Meinem korpulenten Mieter K. H. H. sind die schönen blauen Küchenstühle in seiner Mansarde zugedacht.* Die Annahme habe er selbstverständlich verweigert. Aber nach einer neuen Bleibe habe er sich, kurz vor dem Examen, nun auch umsehen müssen. Kein Wunder, daß er es nie geschafft hat. Eines Morgens hat man ihn im Fotohäuschen im Hauptbahnhof aufgegriffen. Wie er dahin gekommen war, wußte er auch nicht. Jedenfalls war er da aufgewacht und hatte für die Bahnhofspolizei keine Erklärung.

Das Testament hat mich ins Mark getroffen. Die Panik der frühen Tage überfiel mich nun wieder. Auch wenn ich wußte, daß in Waldshut mein Depot überquoll. Was tun? Sollte ich eine Arbeit suchen, bei der man mich nicht sieht? Das gab es: Leichenwäscher zum Beispiel. Aber, sagte ich mir, das könne Gott von mir nicht verlangen. Dazu sei ich einfach nicht geschaffen.

Nach einem stärkenden *Imbiß* im *Rößle,* wo Irma als meine Lebensgefährtin galt, gingen wir in den aufgelassenen Pferdestall hinüber. Auf der Tageskarte hatte übrigens *Weißweinwürstchen an Sauerkraut in Steinpilzsauce mit Langostini überbacken* gestanden. »Das *Rößle* hat sich doch sehr gemacht!« meinte Irma. »Ja«, sagte ich, »und ich habe mich längst mit allen versöhnt. Auch mit den Veränderungen. Ich habe alles ganz anders in Erinnerung.« Wir entfernten nun die verstaubten Decken von den Schränken, Truhen und Koffern und machten uns daran, die Sachen, die für Irma bestimmt waren, von denen, die ich bekommen sollte, zu trennen. In den Schubladen stießen wir aber zunächst nur auf Dinge, die wir schon von Freiburg her kannten, zum überwiegenden Teil Pornohefte, die die ganze Zeit praktisch frei zugänglich in diesen Schubladen gelegen hatten, notdürftig verdeckt durch Zeitungsausschnitte etc. »Henry hat eben nichts weggeschmissen. Er hat sich von nichts trennen können«, meinte ich. Ich hätte aber ruhig besser vorsortieren können, was an meiner Stauballergie und Trägheit gescheitert war. Pornohefte und entsprechendes Zubehör; einen sogenannten Massagestab hat Irma prophylaktisch in ihre Handtasche genommen und gesagt, sie werde ihn zu Hause wegschmeißen. Der Leute wegen. Ich hatte nichts anderes erwartet.

Mittlerweile sperrten wir aber doch ab, wofür es im Grunde schon zu spät war. Ich weiß, daß meine Brüder in den Sachen gewühlt haben und zurückgeschreckt sind. Sie standen zum Glück über jeder kleinbürgerlichen Moral. Denn über allem stand der Satz: *Sieger ist, wer am Ende am meisten auf dem Konto hat,* und einfacher noch: *Geld regiert die Welt.*

Ich hatte ihnen ja imponiert, als ich sagte, daß ich bald ganz anders dastehen würde! Bereitwillig stellten sie den kleinen Viehtransporter zur Verfügung: wohl das einzige Mal, daß ein Viehtransporter vor dem PLATZ AN DER SONNE vorgefahren ist.

»Und so etwas ist bei Heidegger ein und aus gegangen!« meinte Irma, denn es war doch viel Staub und Schmutz. Aber auch, ganz allmählich, eine Wollust *wie beim Verteilen der Beute* (Buch der Psalmen). Mit einer Brechstange gelang es uns, einen alten Koffer zu öffnen, ohne das Porzellan zu zerstören, auf das wir stießen. *Also doch!* Ich hätte nämlich geglaubt, daß das Ming, das unter den Vermächtnissen aufgelistet und Irma, meiner Mutter und mir zu ungleichen Teilen zugesprochen war, auch unauffindbar bliebe. Henry wußte zuletzt ja selbst nicht mehr, wo die Sachen abgeblieben waren. Also, in diesem Koffer! »Zum Blutspenden müßt ihr nun nicht mehr! Und auch nicht zum Putzen, Irma!« Vor unseren Augen glänzte und schimmerte es. »Wir sind gerettet! Du bist aus der SCHUFA heraus! Das ist ja alles Ming, das reinste Ming! gar kein Zweifel.« In einer Glückswallung schenkte mir Irma die Hälfte ihres Anteils. Ich verfügte nun also über 27,5 Prozent. Irma erinnerte sich nun, etwas Ähnliches im Fernsehen gesehen zu haben. Eine Kanne, die genauso ausgesehen habe, sei für über zwei Millionen US-$ versteigert und in der Tagesschau gezeigt worden. Auch Irma sagte nun: »Wir sind gerettet!« Wir mußten nur noch Polaroidfotos machen, den Porzellan-Experten von Sotheby's verständigen und ihn kommen lassen. Wer weiß, vielleicht würde es sogar eine Spezialversteigerung geben, die Sachen waren schließlich aus dem japanischen Kaiserhaus! Die Schränke, von denen wir schon wußten, wie wertvoll sie waren, wurden mit Hilfe des ganzen *Rößle* in einem der Nebenzimmer aufgestellt. Dann betranken wir uns und fuhren trotzdem noch über den Hotzenwald nach Freiburg zurück. Für das Service mietete ich eigens das größte Safefach bei der Deutschen Bank und versicherte den Koffer um drei Millionen gegen Raub, Brand und Wasserschaden. Aus Dankbarkeit überwies ich tausend Mark an die Caritaszentrale Freiburg.

Meine Angst, in U-Haft zu kommen

Der Möbelexperte kam aufgrund einiger Polaroidfotos von Genf aus angefahren. Der Braunschweiger Schrank stand in einem Nebenzimmer des *Rößle.* Meine Mutter hatte, zusammen mit Irma, noch für einen letzten Glanz gesorgt, mit einer Möbelpolitur, mit der auch der Stammtisch und die Wirtshausbänke bearbeitet wurden. Der Schrank war auf die Zeit *um 1740* datiert worden. Daß er aus Braunschweig stammte, wo die schönsten Barockschränke überhaupt angefertigt wurden, war gleich an den Intarsien, dem Aufbau und besonders an den Elfenbeineinlagen auf den ersten Blick zu erkennen. Der Besuch aus Genf war für elf Uhr angekündigt. Henry hatte gerade im Hinblick auf dieses Stück immer wieder gesagt: FÜR DICH IST GESORGT! Ich rechnete mit mindestens dreihunderttausend, und in der Nacht vor dem Besuch konnte ich nicht schlafen. Mr. Rexroth war pünktlich. Er trat ins Gastzimmer, wo ich mit ihm verabredet war. Ob ich Herrn Hotz rufen könne? Ich stellte mich vor. Mir hat er wohl diesen Schrank nicht zugetraut, mich wahrscheinlich für einen Spüler gehalten, warum nicht. Mr. Rexroth schien etwas verwirrt, fing sich dann aber. Als Entschuldigung für mich selbst hatte ich ja den Braunschweiger Schrank im Nebenzimmer stehen. Nach ein paar Fragen nach seinem Befinden und wie die Fahrt hierher gewesen sei, so wie mir das Henry beigebracht hatte, kam ich ziemlich schnell zur Sache. Die Unterhaltung wurde übrigens auf englisch geführt. Als ich dann die Tür zum Braunschweiger Schrank hin öffnete, geriet der Herr, der ziemlich gelangweilt und von oben herunter gesprochen hatte, aber doch in eine

Expertenverzückung: »Ein herrliches Stück! So etwas hatten wir praktisch noch nie!« Und dann öffnete er die Tür mit den *herrlichen Originalbeschlägen,* wie er sich ausgedrückt hatte, und stieß auf das Schild MÖBEL MUTSCHLER RAVENSBURG! Er stellte mich zur Rede. Aufschreiend und zurückweichend, ein paar, wohl sehr unflätige Flüche ausstoßend, die ich zwar nicht verstand, die mich aber trafen.

Ich begriff zuerst nicht ganz, dann begriff ich doch. Es handelte sich um das Imitat eines Braunschweiger Schrankes, ein sehr gelungenes zwar, aber eben doch nur ein Imitat; und Henrys schönes Stück stammte nicht vom *Landgut der Großmutter,* wie Henry die Provenienz erklärt hatte, sondern eben von Möbel Mutschler, Ravensburg. Ich weiß nicht, wie ich die nächsten Augenblicke überstand, auch der sogenannte Experte, Mr. Rexroth, war auf ein Imitat hereingefallen. Und ich dazu auf Henry. Er packte seine Sachen zusammen und drohte mir, daß ich noch von ihm hören werde. Aber die Konsultation war doch laut Zeitungsinserat umsonst, überdies hatte sich Herr Rexroth nach der Übersendung von drei Polaroidaufnahmen geradezu aufgedrängt. Hatte er nicht eines Abends um acht angerufen und gesagt, er wolle jetzt gleich losfahren, um Mitternacht sei er da? Hatte nicht in der NEUEN ZÜRCHER ZEITUNG gestanden: *Unser Experte steht Ihnen zu kostenlosen und unverbindlichen Schätzungen und Beratungen zur Verfügung. Hausbesuche! Bitte rufen Sie uns an und vereinbaren Sie einen Termin. Sotheby's –?* Ich wußte noch nicht, was er mit seiner Drohung meinte. Vorerst entstanden keine weiteren Kosten, doch das Herz war in die Hose gefallen.

Von den großen Sachen war dieser Schrank das letzte gewesen. Ich habe ihn meiner Mutter zum Geburtstag geschenkt.

Beim Teeservice in Gelb und Blau, mit dem Kaiserdrachen auf dem Grund, war es für den Experten noch leichter: die Enttäuschung war bitter und einfach, eine Instant-Enttäuschung, was den Londoner Ming-Experten angeht. Gegen das Licht gehalten, erschien da ein Beethovenkopf auf dem Tassengrund... Darauf hätten wir von selbst kommen können, Irma, in deren Eigentum das China-Porzellan laut Henrys Testament zu 50 Prozent übergegangen war – und ich. Die restlichen 50 Prozent waren in einen 45- und einen 5-Prozent-Anteil für meine Mutter und mich »als Anerkennung für die vielen schönen Weihnachtsfeste, die ich im Kreis der Familie Hotz in der Gasthof-Metzgerei Rößle in Waldshut verbringen durfte«, wie die hundertfünfzigseitige *Letztwillige Verfügung letzter Hand* auf Seite drei vermerkt, aufgeteilt.

Der Experte von Sotheby's, wiederum ohne großes Zutun von unserer Seite, quasi motu proprio, diesmal von London her angereist, forderte eine Erklärung. Er hat uns später angezeigt! Wenigstens die Kosten für das Flugticket versuchte Sotheby's uns eine Zeitlang in Rechnung zu stellen, umsonst. In den aufgeblasenen Anzeigen stand ja *kostenlos*. »Jetzt würde ich Sie am liebsten umbringen!« stieß er aus, was doch eigentlich eine Morddrohung war! Oder umgekehrt: »Jetzt würde ich mich am liebsten umbringen! Wie stehe ich vor Sotheby's da! Was soll ich in London sagen!« *Sotheby's* und *London* an der Stelle, an die man sonst *Gott* und *Jüngstes Gericht* setzt. Vielleicht hat er sich dann auch umgebracht. »Schwamm drüber! Schwamm drüber! Macht nix!« mußten wir sagen, unsere Beschwörungsformel gegen die Enttäuschung, die anhaltende, ins Leben übergegangene Enttäuschung. Es waren unsere Wörter dagegen. Ich wollte doch nicht wegen Henry und seinen Versprechungen und all seinem Gepränge umsonst gelebt haben. Nein, unsere Enttäuschung war keine

Instant-Enttäuschung. Das war sie gewiß auch: etwa der erste Blick auf den Beethovenkopf oder das Schlußverkaufszeichen – da rutscht das Herz schon in die Hose. Das Ming-Service, zum Beispiel, war nämlich kein Ming, sondern eine Werbeprämie des Monats von Teehaus Schrader, Bremen. Der lange Atem unserer Enttäuschung! Wir haben die ganze Zeit unsere Enttäuschung mitgeatmet. Die war immer dabei. Sie hat uns am Leben gehalten, war es nicht sie? Unser Atem war unser Enttäuschtsein. Aber wir waren nicht ohne Mut. Von Enttäuschung zu Enttäuschung haben wir uns aufgerappelt.

Der Ming-Experte hatte doch keinen Charakter, sonst hätte er sich auf der Stelle, vor unseren Augen, umgebracht. In Japan hätte er sich ein derart fatales Fehlurteil nicht erlauben können. Und dann einfach weggehen, weiterleben, Bücher schreiben!

Das falsche Ming ist nun mein Komplementärbegriff zu FÜR DICH IST GESORGT! In der letzten Zeit wußte Henry gewiß nicht mehr, woher seine Kostbarkeiten waren. Eigentlich waren nur die Kaiserfotos mit der signierten Schnupftabakdose, die ich bei Herrmann Historika habe versteigern lassen, echt. Die Leute kaufen ja alles. Ich habe selbst bei der Vorbesichtigung in München gesehen, wie sie sich auf die Folterinstrumente stürzten, auf längst abgelegte Keuschheitsgürtel, vergilbte Liebesbriefe des Marquis de Sade und so fort.

Nicht einmal für den Transfer ins Krematorium hätte es gereicht. Aber wie rechthaberisch war in der *Letztwilligen Verfügung letzter Hand* notiert: *Man möge meinen Leichnam nach Hamburg fahren und daselbst im Fuhlsbütteler Krematorium einäschern und sodann die Asche in unserem altehrwürdigen Familiengrab auf dem alten Blankeneser Friedhof beisetzen. Keinerlei Ansprachen.* Dabei hatte Henry auf etliche Nachrufe spekuliert.

Aber nicht einmal unter *Kurz gemeldet* ist irgendwo irgend etwas von seinem Ableben berichtet worden, und wäre es auch im SAUERLÄNDER BOTEN oder im ECKERNFÖRDER BUCHTECHO gewesen.

Der Erbschein kam... Das Erbe war ja zum sogenannten fahrbaren Teil zusammengeschrumpft. Das Sozialamt meldete sich, wollte mir die Kosten des letzten Jahres verrechnen. Dazu kam eine Anzeige wegen Betrugsversuchs von Sotheby's, mein erstes Erscheinen vor Gericht.

Die Nächte vor dem Prozeß, auch die Tage, lebte ich in der Angst, in U-Haft zu kommen, abgeholt zu werden, in der Zeitung mit Namen zu erscheinen und vielleicht noch schlimmer: abgebildet zu sein. Den Prozeß mußte ich nun vorerst über das Armenrecht bestreiten. Schon beim ersten Kontakt mit dem uns zugewiesenen Anwalt – gegen Irma lief eine Nebenklage wegen Komplizenschaft –, schon am Telefon sagte der zu mir: »Sotheby's hat nicht die geringste Chance durchzukommen!« Das Wort *durchkommen* kannte ich so nicht. Der Satz war vielleicht ein leichtfertig dahingesagter Anwaltstandardsatz, eine Art Überschlag auf der Ebene der Fakten. Aber unsere Angst ließ sich nicht hinwegreden durch Überschlagen. Als wir dann vor dem Verhandlungszimmer saßen, als wir den Anwalt in seiner Robe erblickten, zitterten wir doch. Ich dachte: »Warum soll das heute ausgerechnet gut ausgehen?« War bisher nicht immer alles schlecht ausgegangen? Warum sollte ausgerechnet ich einmal recht oder auch nur Glück haben? Ich war doch daran gewöhnt, daß immer alles schiefging in meinem Leben. Leben und Schieflage waren eine Einheit, etwas, das bei mir zusammengehörte, das sich zu meinem Ich fügte. Aufgrund meiner Geschichte erwartete ich gar nichts anderes, als verurteilt zu werden. Immer war ich verurteilt worden. Mein ganzes Leben war die Folge eines Urteils, das ich nicht kannte. Das war mein Glaube. Als wir also hineingerufen wurden, durch jene Tür gingen, als wir unsere Plätze zugewiesen bekamen (es war auf der sogenannten *Anklagebank)*, als wir da nun saßen, wo wir wohl hingehörten, schämte ich mich doch ungeheuer. Als das Gericht hereinspazierte, standen wir auf, nicht anders als damals beim Hereinschreiten des Priesters zur Messe. Als dann mein Name fiel, als meine Daten verlesen wurden, als ich *ja* sagen mußte zu dem, was da vom Blatt gelesen wurde, als schließlich mein bisheriger Lebenslauf vom Blatt gelesen wurde, schämte ich mich noch einmal ungeheuer. Das konnte doch nicht alles sein! Das war doch alles ziemlich blamabel: *Unsicheres Tasten im Leben, Schwierigkeiten, auch im Meistern kleiner Lebensaufgaben, immer wieder Versagen am selbstgesteckten Ziel, Spätaufsteher, neigt zur Überinterpretation, konfliktscheu, sensibel.* Das alles hatte sich ein sogenannter Psychologe ausgedacht, ein Gerichtspsychologe! Wie ich die hasse, seitdem ich denken kann. Das sollte ich sein! Besonders das *sensibel* empörte mich, denn wie ich aus den Lebensberatungsseiten der Illustrierten, namentlich der BUNTEN, wußte, war dies das psychologeninterne Code-Wort für *schwul!* Ich weiß nicht, wer hier als falscher Zeuge, Informant, aufgetreten ist, ob dies gar auf Material einer geheimen Überwachung zurückgeht, irgend jemand muß mich ziemlich dilettantisch ausgehorcht haben, vielleicht meine Beziehung zu Henry mißverstanden, falsch interpretiert haben. Wie auch immer, es müssen Menschen gewesen sein, Nachbarn, Mitmenschen, Stichwortlieferanten, meine Dunkelmänner, vielen Dank euch allen! Aber ich werde mich nicht bedanken und nicht rächen können, auch wenn ich dies wollte. *Deinen Mitmenschen bist du eben nicht gewachsen!* Das war mir schon im *Rößle* klar, erst recht beim Verlesen dieser ihrer meiner Daten; und erst recht bei der Verlesung ihres meines Lebenslaufes.

Der Prozeß zog sich hin. Noch ein sogenanntes Gutachten wurde verlangt. Auch über Irma. Mehrfach wurden wir von der Anklage als *labile Persönlichkeiten* bezeichnet und mit anderen Stich- und Schlagwörtern traktiert, und unser Anwalt schloß sich zum Teil sogar den Herabwürdigungen an. Zum Glück war der Zuschauerraum ziemlich leer. »Was sind das für Leute, die da hinten herumsitzen? Kennst du jemand?« tuschelte mir Irma zu. Bevor ich *nein* sagen konnte, war Irma wegen Störung zurechtgewiesen. Es waren wohl Rentner beiderlei Geschlechts und Hausfrauen, die nicht wußten, wie sie den Tag herumkriegen sollten und sich an unserem Elend aufzurichten gedachten, Mitmenschen, die ich bisher noch nicht gesehen hatte, die sich im Namen des Volkes rechtmäßig aufgeilten. Eine Schulklasse saß auch da. Der Anwalt hatte gesagt, daß unser Fall eine Lappalie sei, für uns war es schon mehr: Ich wurde des Betrugsversuches und der Anstiftung zum Betrug in einem besonders schweren Fall bezichtigt. Ich sollte Irma angestiftet haben! Sie war also auch für das Gericht zweite Wahl. Bei ihr kam nur noch die *Komplizenschaft* hinzu. Zu ihrer Stütze hatte sie eine ihrer Handtaschen dabei. Sie half ihr wenig. Ich konnte riechen, wie ihr das Wasser zwischen den Brüsten hinunterlief. Das gehört zum Elend jener kleinen Ewigkeit unbedingt hinzu.

Sollte mein Leben auf *vorbestraft* hinauslaufen? Das war ich doch schon, bevor ich durch diese gepolsterte Gerichtstür geschritten war. Irma hatte sich für den Auftritt zurechtgemacht; und ich auch. Ich habe mich besonders ausgiebig geduscht, die Haare durch eine sogenannte Konditionierungsspülung aufgemöbelt, mich sorgfältiger als sonst rasiert, die Bertullischuhe angezogen und versucht, doch etwas vorzustellen. Auch habe ich noch einen grauen Straßenanzug gekauft, dazu eine Ermenegildo-Zegna-Krawatte; eine absurde Anschaffung, die mir dann negativ ausgelegt wurde. Wo ich das Geld für einen solchen Anzug und eine solche Krawatte her habe? Wir stünden doch unter Armenrecht! Doch muß man diese Anschaffungen im Zusammenhang mit den Anstrengungen meinerseits sehen, wenigstens nach außen hin den Wunsch zu einer ordentlichen Lebensführung zu dokumentieren, meinen guten Willen zu zeigen und meine Sehnsucht: zu sein wie die anderen. Und dies vom korrekten Erscheinungsbild an, auch wenn mir diese Äußerlichkeiten nie ganz geglückt sind: Immer noch war ein kleiner Schönheitsfehler dabei, sei es auch nur, daß die Socken nicht zu den Schuhen paßten, die Hose knitterte, die Fingernägel angekaut waren. Die Gräfin Zitzewitz hätte mich nach den Regeln auf ihrer *Benimmseite* im GONG niemals akzeptiert. Immer fehlte noch etwas, und überhaupt, das Ganze paßte *irgendwie* nicht zusammen, das Ganze nicht zu mir, ich nicht zum Ganzen. Immer war eine Unvollkommenheit dabei: das Wort *tadellos* ist in bezug auf mich wahrscheinlich niemals verwendet worden.

Nur Anstrengungen und all diese Anschaffungen, aber dann saß ich doch nur wie im Kommunionsanzug da. Ob sie die Bertullischuhe bemerkten, weiß ich nicht. Auch Irma paßte nicht recht in ihre Sachen hinein. Auch sie sah verkleidet aus. Dabei hatte auch Irma – bis zur Unterwäsche – darauf geachtet, daß alles stimmte. Es sollte alles ganz frisch sein, auch an mir, und dann war alles ganz verschwitzt. Die Ermenegildo-Zegna-Krawatte hätte uns beinahe das Genick gebrochen. Doch das Wort *verurteilt* fiel am Ende doch nicht. Dieser Prozeß lief nicht auf *vorbestraft* hinaus. Wir wurden freigesprochen, was diese Verhandlung anging, und konnten gehen.

Es blieb alles beim alten, was mein Leben anging. Sotheby's blitzte ab, blamierte sich noch einmal unsterblich. Wer reist denn schon aufgrund eines Polaroidfotos an!

Uns lachten sie aus. Sie verurteilten uns nicht, sie lachten. Sie verurteilten uns, indem sie uns auslachten. Irma hingegen glaubte wenig später, dem Gericht imponiert zu haben. Führte den Freispruch auf ihr geschicktes Auftreten zurück. Dabei roch es über die Gerichtsschranken hinweg nach ihrer Angst. Sie lud den Anwalt zum Essen ein. Er winkte ab. Ich zahlte selbst. Es wäre doch nur Geld gewesen, das sie sich von irgendwoher geliehen hatte. »Wir haben einen fabelhaften Eindruck gemacht!« behauptete sie. Ich glaubte das Gegenteil aus den Gesichtern herauslesen zu können. Amüsiert haben sie sich. Über Irma, die eine dunkle Sonnenbrille trug, und über mich und meine Ermenegildo-Zegna-Aufmachung auf dem Fundament von Bertullischuhen und Minderwuchs. Wir waren maßlos *overdressed.* Wir wurden freigesprochen, weil sie sahen, daß wir bloß Witzfiguren waren – oder weil sie uns schon aufgrund unserer Erscheinung für solche hielten. Abends haben sie wahrscheinlich ihren Frauen im Bett alles erzählt und konnten vor Lachen nicht einschlafen. Witzfiguren auf der Anklagebank: als die Polaroidfotos auf den Tisch gelegt wurden, ging ein erstes Raunen durch den Saal über soviel Dummheit, die zu allem hinzukam. »Wußten Sie, daß das Sotheby's von Ihnen angebotene Teeservice ein Sonderangebot der Firma Teehaus Schrader zum hundertjährigen Firmenjubiläum war? Wußten Sie, daß es sich hierbei um eine Nachbildung im Ming-Stil handelte?« – Freilich wußten wir das nicht! Wir waren doch die ersten, die auf dieses Service hereingefallen waren, die ersten, die betrogen wurden, ob nun durch Henry oder unsere Gier.

Dafür, daß mein Leben in den vergangenen Jahren auf Selbstverleugnung hinausgelaufen war, saß ich nun auf der Gerichtsbank; und mir kam damals das bittere Wort Gregors VII. in den Sinn, das seinen Marmorsarkophag im Dom zu Salerno ziert: *Ich habe die Gerechtigkeit geliebt und das Unrecht gehaßt. Daher sterbe ich in der Verbannung* – und andere Worte, die Menschen in den Sinn gekommen sind, denen Unrecht geschehen ist.

Irma dagegen lebte nicht aus der Geschichte, nicht einmal aus ihrer eigenen, die auch eine Geschichte des Unrechts war, sondern wollte ihrem Klaus weismachen, daß der Richter anerkennend genickt habe, als in bezug auf mich das Wort *sensibel* gefallen sei. Zuletzt glaubte sie Sotheby's dafür dankbar sein zu müssen, daß sie endlich Gelegenheit bekam, aller Welt zu zeigen, wer und was sie war und was sie alles vorzuweisen hat. Als sie dies glaubte, war sie schon etwas betrunken. Ja, Irma hat Kaugummi gekaut, während wir *verlesen* wurden. Sie hat wirklich einen fabelhaften Eindruck hinterlassen.

Und ich habe, wie ich annehme, durch meine Atemlosigkeit, die hörbar war, und vielleicht durch die Bertullischuhe, die mich aufbauen sollten, die Welt in Wahrheit, wenn auch nicht zu mir, so doch hinabgezogen. Ich fürchte, sie fühlten sich in meiner Gegenwart nie ganz wohl. Sie mußten mitanhören, wie schwer ich atmete. Es war oft geradezu ein Schnaufen, das auch den anderen zu schaffen machte; nicht nur im Gerichtssaal. Sie mußten dies alles mitanhören und mitansehen. Daher suchten sie, wie ich vermute, auch nicht meine Gegenwart, sondern das Freie. Im Gericht war ihnen dieser Ausweg aber nicht möglich: ihnen blieb gar nichts anderes übrig, als mein Schnaufen und Pusten, meinen Schweiß und meine Schweißflecken, mein Erblassen und mein Erröten hinzunehmen. Die Menschen waren, was mich angeht, wahrscheinlich hin und her gerissen zwischen Abscheu und Anflug von Mitleid, zwischen Ungeduld und Unlust, zwischen Lachen und Weinen, zwischen Hinsehen- und Wegsehen-Wollen – je nach Charakter. Ob denn ein Notarzt oder eine Atempause nötig sei? fragte man scheinheilig.

Einen Tag später machte ich schon wieder einen Nachmittagsspaziergang die Dreisam entlang.

Wir waren nun ganz unten; entschiedener als die Moshammers, wenn ich der Lebensbeschreibung Rudolph Moshammers glauben darf, der, zusammen mit seiner Mutter, zeitweise von Chappi und Dosenfutter leben mußte, dann aber den Aufstieg nach oben schaffte (vgl. Rudolph Moshammer, Mama und ich, München 1995). Das war bei uns nicht so. Henrys Leben war ja nichts anderes als ein kontinuierlicher Abstieg gewesen; und ich war nun schon lange Zeit irgendwo unten, mit Henrys Erinnerungen an eine große Zeit versorgt. So glich mein Leben nun in etwa dem von *Mama und ich* vor der großen Wende. Die Moshammers hatten die unglaublichsten Dinge durchleben müssen, so zum Beispiel, daß beim allerersten großen Empfang der Ehrengast, Salzbaron Adi Vogel und seine Begleiterin, die Kosmetikmagnatin Elizabeth Arden, *von meinem Gepard gebissen wurden und trotzdem lächelten und blieben.* Wir blieben auch. Doch irgendwie glückte es Irma und mir, im Gegensatz zu den Moshammers, nicht, die Menschen zu halten. Sie für uns zu begeistern. Sie gar dazu zu bewegen, zu uns zu kommen.

»Wenn uns Opi damals nicht geholfen hätte, wären wir ganz schön im Dreck gesessen!« sagte Irma. Oder sagte sie: »in der Scheiße«? Irma nannte den Botschafter *Opi.* Doch Irma brachte die Zeiten irgendwie durcheinander. Die Zeit nach Sotheby's haben wir nicht durch den Botschafter überbrückt, der schon tot war, sondern durch einen Überbrückungskredit, den ich beim Direktor der Deutschen Bank unter Hinweis auf ein zu erwartendes Erbe erschleichen konnte und an dem ich bis heute herumstottere.

Der Botschafter war tatsächlich zeitlebens immer wieder eingesprungen, er hat immer wieder geholfen, eigentlich mehr oder offensichtlicher als Gott. Über die Jahrzehnte kamen von ihm immer wieder Überweisungen, für Henry, aber auch für Irma und mich. Warum er so geholfen hat, weiß ich nicht. Ich bin nie dahintergekommen, gehe von seinem guten Herzen aus. Er hatte ja gar nichts von uns. Die Dankbriefe zum Jahreswechsel und zu den Geburtstagen waren nicht einfach, gewiß, kleine Kunststücke, schriftstellerische Vorübungen, die mir so schwerfielen wie die Steuererklärung. Von Henry, der dem Botschafter eigentlich nur vorschwindelte, nichts mehr zu haben, aus einer angeborenen Schamlosigkeit heraus, war niemals ein Dank gekommen, nicht schriftlich, nicht mündlich. Doch die Überweisungen des Botschafters kamen bis zuletzt, wohl aus Anhänglichkeit. Henry schaute bis zuletzt auf den Botschafter hinunter, weil er einer geregelten Arbeit nachging, während Henry als *selbständiger Privatier* (so hatte er sich der Steuer gegenüber definiert) lebte, der nicht *in die Krankenkasse* ging. Wenn uns Opi damals nicht geholfen hätte! Immer war ein Verrechnungsscheck da. Ich mußte nur anrufen und das Wort *Onkel Henry* fallen lassen, kam auch schon sein *Wieviel?* – und ich sagte: »Dreieinhalb«. Dann hat er von selbst meist auf fünf aufgerundet.

Mein Leben als Dichter

Jetzt war die Zeit gekommen, das Buch zu schreiben. Ich war reif. Ich zog mich zum Schreiben in den Hotzenwald zurück. Man wies mir im *Rößle* eine Dachkammer zu. *Die Gestalt, die in Bademantel und Hausschuhen, mit wirrem Haar und zerkratztem Gesicht im Foyer der Deutschen Bank aufgegriffen wurde und zurückgebracht werden sollte, aber nicht sagen konnte, wer er war, war nun deutlich zu erkennen: es war Henry.* Oder? Also einfach dieses Leben, meine Geschichte nacherzählen, das Ganze als Fragment? Mein Tagebuch als roter Faden? In den letzten Septembertagen waren wir ins Haus des Botschafters am Lago Maggiore gefahren. Er hatte uns selbst mit seinem goldmetallic-farbenen Buick Skylark mit offenem Verdeck abgeholt. Am ersten Abend sind wir schon nach Italien, nach Cannobio ins AL PESCATORE zum Fischessen gefahren. Der Botschafter und Henry in Golfmützen vorne, ich hinten. Schon an der ersten Ampel bemerkte ich das schallende Gelächter italienischer Gören auf Piaggos, das uns und unserem Gefährt mit der Schweizer Nummer galt. Die eine hat sogar ihre Zunge herausgestreckt, ich glaube in Richtung Henry. Der Aufenthalt an dieser Ampel war für mich eine kleine Einübung in den ewigen Augenblick, eine Art Feldmanöver, wo die Ewigkeit durchgespielt wird. Die wären beinahe von ihren Rollern heruntergefallen, als sie uns erblickten, kein Wunder, wo doch schon die alten Damen zu weinen begannen, als ich Henry im Wohnstift ablieferte. Ich gebe es ja zu: in Italien wollte ich nicht neben ihm hergehen. Schon gar nicht Arm in Arm auf der Promenade von Stresa, obwohl am Lago Maggiore eigentlich nichts dabei gewesen wäre. Nein, ich wollte nicht mit ihm die Passeggiata, den Corso hinauf. Er bemerkte es natürlich. Einige Jahre später konnte ich in seiner *Letztwilligen Verfügung* auf Seite hundertneununddreißig nachlesen, wie er darüber dachte. Und auch der Brief, den er mir in der Botschaftervilla am anderen Morgen vor meine Schlafzimmertür gelegt hatte, war scharf und bitter. Er muß die ganze Nacht, wenn nicht schon ein Leben lang, an diesem Brief geschrieben haben. Henry konnte scharfe Briefe aufsetzen! Das war weniger Erbe einer juristischen Schulung, sondern vielmehr eine Tuntenkunst: in Jahrhunderten von Verfolgung herausgebildet – oder eben im Verlauf eines Lebens. Das hat er sich nicht gefallen lassen, daß ich immer zwei Schritte voraus, hinterher oder nebenher, aber immer irgendwie abseits ging und daß ich ihn instinktiv abzuschütteln versuchte, als er sich bei mir einhängen wollte. Henry konnte kein Italienisch (als Kunsthistoriker!). Aber er hat wohl doch herausgehört, wie ich mich im Lokal von ihm distanzierte, wie ich ihn die ganze Zeit vor den Oberkellnern siezte und ihn deutlich hörbar mit *Excellenza!* anredete. Die Fahrten um den See herum, einmal linksherum, dann wieder rechtsherum, waren ziemlich heiß und langweilig.

So wollte ich einfach vom Leben in die Literatur gelangen. Bald hatte ich eine Agentin aufgetan, die ich für meinen Plan begeistern konnte. Sie saß in Hamburg, die Geschichte mit Henry war ihr also nicht ganz unbekannt, und was meinen Teil, die *Rößle-* und Hotzenwaldpassagen, angeht, so hatte dies, wie sie sagte, den Reiz des Exotischen. Sie ließ sich dann immer wieder die einzelnen Kapitel zuschicken, die Anfänge, und meinte immer wieder, das sei schon ganz gut, ich müsse nur noch einmal drübergehen. Es hätten übrigens schon mehrere Verlage angebissen. Das Ganze zog sich über Jahre hin.

Schon zu Lebzeiten Henrys hatte ich mit dem Gedanken gespielt, dieses Leben, das doch von balzacischem Ausmaß war, das ich niemals überblickte, zu einem Roman zu verdichten, wenigstens literarisch; erst recht nach den unrühmlichen Umständen, die für mich mit seinem Ableben verbunden waren. Ich hatte doch nun einen Stoff, der auch meiner war, um den mich jeder Autor beneiden müßte. Ich mußte mich nur noch hinsetzen und alles der Reihe nach aufschreiben. Den Romananfang dachte ich in Anlehnung an Balzac zu gestalten, und zwar so, daß alles ganz authentisch wirkte, kein Mensch auf den Gedanken eines Plagiates kam: *Henry lag im Totenbett. Der Bischof kam zur Letzten Ölung. Als er sich zum Kreuzzeichen über den Sterbenden beugte, versuchte ihm dieser noch das goldene Brustkreuz zu entreißen.* Leider kam kein Bischof. Es gab bei Henry keine Letzte Ölung, und die *Letzten Dinge* verliefen etwas anders.

Wenigstens literarisch ausschlachten, doppelt abgesichert, dachte ich: die zwei Stränge zu einer Engführung verbinden. Da war einmal das Leben selbst. Das schlicht nacherzählen. Dazu kamen seine Aufzeichnungen und meine Tagebücher – alles zu einem verbinden. Das müßte etwas werden, dem sich kein Leser entziehen könnte. Doch niemand biß an, kein einziger Verlag, worauf ich noch zurückkommen werde!

Keiner machte sich Sorgen um mich, außer Irma. Ich hatte ja auch keinen Menschen, der gewußt hätte, daß er sich hätte Sorgen machen müssen um mich. Die gute Irma! Ich hörte doch, wie sie mit Klaus telefonierte, als ich gerade im Bad war, und ins Telefon flüsterte: »Engelbert läuft mit Strandsandalen im Zimmer auf und ab... Glaubt wohl, am Meer zu sein... Mache mir schon Sorgen!« Mit diesem Namen konnte ich es freilich nicht weit bringen, auch nicht in der Schriftstellerei. Das Ganze war eine Frage des richtigen Namens. Wie beneidete ich den Schauspieler, der *River Phoenix* hieß! Dabei war der Name nicht einmal erfunden. Es gab Eltern, die den richtigen Namen fanden. Ich aber mußte mit einem Namen herumlaufen, der aus dem Heiligenkalender (von Pius V.) stammte. Ich hieß so, weil man im *Rößle* keine Zeit hatte, einen schönen Namen zu finden und einfach nach dem Heiligen des Tages griff: Das war der heilige Engelbert, von dem nicht einmal sicher ist, ob er überhaupt gelebt hat; aus dem von Paul VI. revidierten Kalender ist der heilige Engelbert jedenfalls gestrichen. »Dein Name paßt zwar irgendwie zu dir! Leider!« mußte ich mir sagen, »doch als Engelbert Hotz kommst du nicht in die Charts!« Meine Agentin riet mir zu einem amerikanisch klingenden Pseudonym, eventuell zu einem Frauennamen.

Ein gigantischer schriftlicher Nachlaß war es, auf den ich stieß. Ich dachte nicht daran, all dies zu durchforsten, zumal ich bald erkannte, daß nicht alles gleich wertvoll war, wie der Sammler sagt. Schlau daraus geworden bin ich ohnehin nicht. Ich weiß gar nicht, was Henry mit diesen Kladden, auf denen jeweils *Letztwillige Verfügung* stand, eigentlich wollte. War es ein fortlaufendes autobiographisches Projekt, eine Art Daseinsbewältigung mit seinen Mitteln – oder vielleicht doch ein Versuch, das Leben, wenigstens literarisch, zu meistern? Es war auch eine Abrechnung. Die Abrechnungssätze beherrschen in späteren Zeiten das Ganze, während früher die Zueignungssätze überwiegen. Zuletzt bin ich einer der Adressaten. Vorher war es der Mensch an sich, Gott, das Schicksal, vor allem sein Vater. Er wird als Biertrinker und Bayer maßlos attackiert. Alle werden beschimpft, nur die Mutter ist ausgespart. In den Abrechnungssätzen kommt die Mutter nicht vor.

»Was steht drin?« fragte Irma wie die Frau vor hundert Jahren, die von ihrem Mann wissen will, was in der Zeitung steht. »Nichts. Eigentlich nichts.« Aber jetzt weiß ich, was er meinte, wenn er sein: *Ich muß jetzt an den Schreibtisch!* raunte. Er hat praktisch nur noch geschrieben, und zwar nicht nur Gedichte, auch an diesem Lebenswerk! Jedes Jahr hat er eine neue *Letztwillige Verfügung* geschrieben. Die erste, auf Bütten, hat zehn Seiten Umfang. Nach seinem ersten angedeuteten Selbstmordversuch brachte er seinen ersten *Letzten Willen* zu Papier. Schreiben konnte er noch nicht fehlerfrei, aber Mami hat geholfen. Später herrscht einfaches Schreibmaschinenpapier vor, in den Kriegsjahren sogar Konzept-, ja Packpapier. Ich dachte, ich könnte schon aufgrund des Papiers eine Biographie von Henry schreiben.

Manchmal dachte ich, der Mann ist – war verrückt.

Ein Verbalerotiker dazu, notgedrungen. So ausschweifend alles. Das Wort *Ausschweifung* war ja schon eines seiner Lieblingswörter zu Lebzeiten gewesen. Er war einer der wenigen, die dieses Wort mit sich führten. Seine linke Gesichtshälfte schien immer etwas zu zucken, wenn es fiel. Das häufige Aussprechen selbst schien – gerade in späteren Tagen – Ersatz für entgangene Ausschweifungen, wenn ich von den kulinarischen absehe. Ein nachträglicher, kleiner Genuß. Am dicksten das von mir so genannte *Bornholmer Testament*, vierhundertfünfundachtzig Seiten. Henry muß sich damals sehr gelangweilt haben. Wahrscheinlich hat es außerdem ununterbrochen geregnet.

Asma, die Agentin, habe ich übrigens in BRENNER'S PARKHOTEL, wenn auch nicht näher, kennengelernt. Es war bei jenem unvergessenen letzten Aufenthalt Henrys.

Ich hatte mich vom Schauplatz des Geschehens in die Bar hinweggeflüchtet, *jetzt ein Whisky!* – und da saß Asma auch schon. Sie hat auf Anhieb meine ganze Geschichte aus mir herausgelockt. Dann sagte sie: »Wollen Sie das nicht alles aufschreiben? Ich könnte Ihnen weiterhelfen. Schicken Sie mir das Manuskript!« Ich wußte damals noch gar nicht, was eine Literaturagentin ist.

Die Idee hatte ich lange schon. Jedoch: statt Henrys Leben und auch meines, vielleicht in einem, aufzuschreiben, mogelte ich mich durch, dachte mir wohl die Zukunft beim Rotwein aus, *träumen:* das war mein Lieblings-Tu-Wort (damals in der Volksschule fing man mit den Hauptwörtern – Substantiven – an; dann ging es zu den Wie-Wörtern, den Adjektiven, und schließlich landete man bei den Tu-Wörtern, den Verben. Wenigstens war das in Waldshut so). Nach dem *Zusammenbruch* mußte ich mir eingestehen, daß ich bisher gar nicht gelebt hatte, etwa mit der Effizienz eines Taugenichts.

Die Agentin, die mir in Baden-Baden noch ihre Visitenkarte überreicht hatte, war schon geraume Zeit vergessen, als ich mich eines Nachts auf meinem Bett wälzte: ich hatte vor nicht allzu langer Zeit ein Buch gelesen, das einen Literaturpreis bekommen hatte, das fiel mir wieder ein, und ich sagte mir: »Das kannst du auch! Zurück zu Onkel! Sofort an den Schreibtisch!« Es war gegen halb vier Uhr morgens, als ich mich an den Schreibtisch setzte und zu schreiben begann: *Als ich ihn kennenlernte, war er schon lange auf dem absteigenden Ast gewesen. Ein Leben lang hat er kurz vor der Entmündigung gestanden. Ich schwankte zwischen Entmündigung und Adoption …* Um halb sieben war das erste Kapitel so gut wie fertig. Im Tageslicht war ich dann aber nicht mehr ganz so zufrieden wie in der ersten Euphorie, in meinem Überzeugungsrausch der Sätze. Aber doch: es war die Wende. Nun ging es wieder bergauf. Ich war doch freigesprochen; jetzt mußte ich mich nur noch freischreiben.

Ich hielt meinen Einfall für genial, zum ersten Mal in meinem Leben! Doch noch genial! Ich wußte es. Mit der ersten Euphorie war auch ein Adrenalin- oder Kraft- und Mutstoß verbunden. Erstmals seit Wochen, ja seit Jahren, stand ich gleich nach dem Erwachen auf. Ich mußte mich nicht mehr im Bett wälzen. Ich mußte nicht die Decke über den Kopf ziehen, aus Angst vor dem Sonnenlicht und dem Tag, den ich nicht wollte. Es riß mich einfach von meinem Lager. Ich war – irgendwie – glücklich.

Der Tag stand nicht vor mir wie sonst und zog mich nicht hinunter. Nein, ganz umgekehrt. Und, wie ich vermute, wie bei den Erfolgreichen, Ja-Sagern, Tagmenschen. Nicht wie bei den Winterhaldern im Hotzenwald, die sich damals bei der Landnahme, vielleicht als Spätaufsteher, mit der Nordseite begnügen mußten, wo es kalt war und die Sonne niemals hinreichte, und die daher Winterhalder und nicht Sommerhalder heißen. In der ersten Phase hatte ich innerhalb weniger Tage Henrys Aufzeichnungen soweit transkribiert, an den richtigen Stellen gekürzt und erweitert, kurz: ich hatte sie in einer Weise verbessert und in eine Form gebracht, die mir das Ganze als unwiderstehlich erscheinen ließ. Abends legte ich mich widerwillig zu Bett. Vorher berauschte ich mich noch ein letztes Mal an den tagsüber zu Papier gebrachten Seiten. Ich gab das Ganze als fiktive Arbeit aus. Das war es zu einem gewissen Teil ja auch. Ich glaubte, daß ich geschickt seine und meine Sätze zu einer Einheit gefügt hätte, mich hineinempfunden hätte in einen Menschen, der irgendwie mißraten, zugleich auch übergangen und verunglückt schien, so wie ich selbst. Als dabei aber doch einmal die Befürchtung kam, daß ich es mit einem nachfolgenden Text schwer haben würde, abgesehen davon, daß ein Schriftsteller es nach einem Wurf immer schwer hat, mit etwas Neuem zu kommen, schob ich diese Gespenster einfach beiseite, indem ich mir sagte: »Es muß ja gar nicht weitergehen! Ein Meisterwerk genügt«, und dachte an Laotse, Heraklit und den *Spaziergang nach Syrakus.* Gut, ich war instantartig von einem Tagträumer zu einem Tag- und Tatmenschen geworden, sogar Irma begann mich zu bewundern und ließ durchblicken, sie habe sich die ganzen Jahre, ja ein Leben lang, in mir getäuscht. (Sie glaubte an die Veränderung wie alle Menschen, die ich bis dahin für dumm gehalten hatte.) Ich war aber nun auch ein neuer Mensch. Das Allerschönste, von heute aus gesehen, war, daß ich den Mittagsschlaf komplett vergaß. Ich mußte mich nicht wie sonst – und heute wieder – gleich nach dem Mittagessen sofort zwei bis drei Stunden ins Bett legen. Bis dahin ein Zustand, eine Krankheit, die dazu führte, daß mein Leben, vor allem in den Wintermonaten, ein Leben bei künstlichem Licht war. Aber jetzt eine wunderbare Verfassung! Ich konnte nebenher sogar noch Gedichte schreiben, so die *Hymne auf die Füße von einst!* und brauchte kaum sechs Stunden Schlaf, wo es vorher das Doppelte war. Eine Konzentration ohnegleichen, wo bisher nur Träumerei war und unüberwindbar geglaubte Niedergeschlagenheit. Meine Kraft hatte bisher gerade ausgereicht, alle paar Tage eine Pornokassette einzulegen oder nachmittags einmal, wenn die Sonne schien, ein paar Schritte nach draußen zu tun. Und ich konnte plötzlich wieder ganz aufrecht gehen, wo ich vorher schon etwas gebückt daherkam, mit einem Neigungswinkel, und schon mit Ende zwanzig praktisch nur mit einem Spazierstock unterwegs! Nein, es sah ganz nach Veränderung aus. Ich selbst war der erste, der glaubte, daß er sich verändert hätte; und Irma war die zweite. Wie selbstverständlich verschickte ich nun zwanzig *Letztwillige Verfügungen* oder *Pyramiden von Giseh* (mein Alternativtitel). Die Hamburger Agentin war völlig vergessen, überflüssig, ein Hindernis, eine Zwischenhändlerin, die mein Produkt nicht nötig hatte. »Ein solcher Wurf braucht keine Agentin!« sagte ich mir. Dieses Kopieren und Verschicken war für einen Phlegmatiker und Depressiven an sich schon eine Leistung. Ich malte mir aus, wie sich die Verleger um meinen Text schlugen. Es ging also für mich nur um ein Einholen von Angeboten. Daß man die *Pyramiden* haben wollte, daran zweifelte ich keinen Augenblick. Oder? Nein, ich befürchtete vielmehr, zu weit gegangen zu sein, etwas preisgegeben zu haben, einen Text, aus dem nun alle Welt abschreiben, den nun jeder sogenannte Schriftsteller kopieren könnte. Doch: »Unser Mohr entdeckt euch schon«, beruhigte ich mich wieder. Es würde auf einen Machtkampf der Großen hinauslaufen. Hunderttausend war das mindeste, dachte ich.

Nach wenigen Tagen kamen schon die ersten Reaktionen. Das *unverlangt eingesandte Manuskript* wurde *mit Dank,* aber ohne weiteren Kommentar zurückgeschickt. Und so ging es die nächsten Wochen, ja Monate. Fast alle *Pyramiden* kamen zurück, nur die ohne Rückporto nicht. Ich war nun längst wieder unten, da, wo ich wohl hingehöre, da, wo mein Platz im Leben ist.

Auch jene Verlage, die in den Kleininseraten der ZEIT auf Autorensuche waren, die sich die Publikation vom Autor bezahlen ließen, wollten nichts von meinem Text wissen. Vielleicht stimmte doch etwas nicht daran.

In einem Absagebrief, der mich zwar beleidigte, den ich aber schließlich doch an die hundertmal gelesen habe, studiert habe, um herauszufinden, ob es sich vielleicht doch um ein etwas seltsam formuliertes Lob meines Manuskriptes handeln könnte, wurde behauptet, daß der Stoff heute kein Thema sei. Die Leute wollen keinen Altersheimroman lesen. (Der Lektor konnte meinen Text nur überflogen haben.) Das Wort *Testament* erwecke *ungute* Assoziationen, während *Letztwillige Verfügung* zwar heute ganz unverständlich geworden sei und von da vielleicht die Neugier wecke; andererseits klinge dieser Titel zu gespreizt, aufgeplustert und sei kein Sympathieträger, auch nicht als Untertitel möglich, während *Die Pyramiden von Giseh* doch eher auf einen Reiseführer schließen ließen. Was für ein Mißverständnis! Ich hatte doch niemals vor, einen Altersheimroman zu schreiben. Und habe es doch auch nicht getan! Den Text hat wohl keiner gelesen, daraus wäre doch alles eindeutig hervorgegangen. Es war doch alles stringent und plausibel.

Da ich ein Fatalist bin, habe ich mich schon mit der ersten Absage abgefunden, mich mit einer Absage insgesamt abgefunden. Immerhin hatte ich nun einen gewaltigen Vorrat an Konzeptpapier: Es konnte weitergehen.

In diese Zeit fällt mein Versuch, ins *Rößle* zurückzukehren. Aufgrund des Heimatrechts mußten sie mir ein Zimmer räumen. Ich sagte ihnen gleich, daß es nicht für immer sei. Nur für eine gewisse Zeit, um zu mir selbst zu kommen. Meine Mutter lebte noch, die Brüder waren samt und sonders verheiratet; drei davon im *Rößle* beschäftigt, wie auch die drei Schwiegertöchter. Alle drei, auch die Brüder, waren einander so ähnlich geworden, daß ich sie kaum voneinander unterscheiden konnte. Ich konnte sie eigentlich nie auseinanderhalten, sie waren eine zusammenhängende Größe für mich. Ich versprach, daß ich jeden Tag zwei Stunden Gemüse putzen wollte. Von Rechts wegen wäre das gar nicht nötig gewesen. Ich wollte nur meinen guten Willen zeigen. Der Agentin schrieb ich einen Brief, ich sei nun soweit. Das war anderthalb Jahre nach Baden-Baden. Sie hielt sich zunächst natürlich bedeckt. Vielleicht war ihr auch längst zugetragen worden, daß ich auf meinen *Pyramiden* saß, daß praktisch alle großen Verlage abgewinkt hatten.

Asma, die vom Fuß der Pyramiden von Giseh stammte, riet nun, ich solle mich freischreiben. Die letztwilligen Verfügungen vergessen. Ich müsse *mein* Buch schreiben, sonst werde nichts daraus. »Sie können Ihren Onkel ruhig hineinwursten«, sagte sie mir am Telefon, »aber unterm Strich muß es Ihr Buch sein! Das Ich muß echt sein, der Rest ist egal.« Die Kernformel meines Unternehmens war nun: *Ich authentisch – Rest egal.*

Ihn, und mich, einfach nur auftreten und sprechen lassen, nichts dazutun, wie bei Trude Herr: Sie mußte auch nur auf der Bühne erscheinen, mit einem Staubsauger von links nach rechts gehen, und das Stück war ein Erfolg. Dieses Prinzip wäre auch auf Henry und mich übertragbar. Ich hatte Asma damals in Baden-Baden vorgeschlagen, sie solle sich doch Henry selbst einmal anschauen. Es kam leider nie soweit. Sie riet mir aber dringend davon ab, meine Geschichte an den Lago Maggiore zu verlagern: »Man schreibt schließlich auch keinen Roman mehr, der auf Capri spielt. Nach dem Krieg war das meinetwegen möglich.« Ob ich das Ganze denn nach Bückeburg oder Pyrmont transponieren solle? »Du liebe Zeit! Dann können Sie gleich nach Traben-Trarbach gehen.« Immerhin, diese Frau hat an mich geglaubt. Eine Geschichte aber, die in Bückeburg spiele, wolle heute niemand lesen. Einen solchen Roman werde sie nicht vermitteln können. Sie brachte mich aber doch auf eine Idee: Warum das Buch nicht in New York spielen lassen und es *Sommer auf Long Island* nennen! Warum nicht das Ganze gleich als Übersetzung aus dem Amerikanischen deklarieren? Warum nicht einen schönen Namen annehmen? Und mein Name? Annie Proulx heiße eigentlich Pape und komme aus Ostfriesland, behauptete sie. Dann wurde alles umgeschrieben. Irgend jemand im Verlag hat anstelle von Heppenheim, Bernkastel und so fort die exotischen Namen gesetzt. Und beim *Geisterhaus* hat man zwanzig Grad Celsius dazugetan. Das solle ich auch.

Der Lago Maggiore gab schon damals, als ich mit Henry dort gewesen war, nicht viel her.

Dem Elend eine Stimme geben... »Aber davon will doch niemand etwas wissen!« sagte selbst Irma, die mich übers Wochenende mit Klaus besuchte. »Ich kann die Geschichte doch appetitlich verkleiden!« trumpfte ich auf. »Ich werde schon Lesefutter für euch machen!« Nur: wie? Meine Stimme bebte nun, wahrscheinlich vor Verachtung für all jene, die auf ihren Strandliegen den *Medicus* in sich hineinfraßen. In einer guten Stunde – neben dem Gemüseputzen – setzte ich dann mein Exposé auf. Grundbedingung war nun, nach all diesen ernstzunehmenden Einwänden: Es muß leicht sein. Es muß ins Reisegepäck passen. Es darf nicht beschweren. Es muß an den Strand passen. Es muß witzig und frech sein. Und doch: mich selbst wollte ich dabei nicht aufgeben. Es sollte immer noch meine Geschichte sein. Das eine ließe sich mit dem anderen schon vereinbaren, hoffte ich. Das Thema an sich ist belanglos, langweilig. Es komme ganz darauf an, was *ich* daraus mache: ein Mensch, der scheitert, und zwei weitere, die in diesen Strudel hineingerissen werden und auch untergehen, das ist unsere Geschichte! »Das Scheitern darf aber«, sagte ich, »als solches vom Leser gar nicht bemerkt werden.« Hauptsache, wir wissen, wie die Geschichte endet. Auch Asma fand, daß man daraus eine *story* machen könne. Wie aus der Enttäuschung von zwei Neffen ein Rachepotential ohnegleichen wachse, das wiederum in Literatur umschlage. Nun wollte ich aus meiner Geschichte auch noch einen Krimi machen. Einen, der in einer Irrenanstalt auf der Schwäbischen Alb spielt. Also nicht so sehr das Elend hervorkehren, sondern das Verbrechen, für das es anscheinend gar kein Motiv gab. Oder wie soll sich ein Mensch die Ermordung eines alten, mittellosen, in der Psychiatrie verwahrten Individuums erklären? »Ein schwieriger Fall, eine literarisch höchst reizvolle Aufgabe!« hieß es aus Hamburg am Telefon: »Aber es wird nicht ganz einfach sein!«

Dann habe ich mich doch für Amerika entschieden. Vielleicht auch, weil ich Emmendingen nicht gewachsen war. Die Amerikaschiene. Eine psychiatrische Anstalt bei New York. Henry, der ruhig so heißen kann, besser wäre aber Brad oder Ron etc., kommt aus den Südstaaten. Erbe eines Tabakkonzerns, Pilot im Zweiten Weltkrieg, dann Professor in Yale, Trinker, alkoholischer Eifersuchtswahn, dritte Ehe scheitert, fortschreitende Räude, lebt nach der Trennung in Palm Beach, liberale Synagoge, vierte Analyse abgebrochen, plant nun, noch einmal ganz von vorne zu beginnen. Ich noch in Vietnam, Syphilis in Bangkok, aber auskuriert, dann Jobs im Mittleren Westen, Name Bryan, komme aus Centerville, Wisconsin, dann Motel in Chamberlain am Missouri, pleite, daraufhin einige Zeit als Baumwollpflücker in Südgeorgia, Basketballspieler, sehr stattlich, aber ohne Dates, was ich mir nicht erklären kann, suchte Halt bei Brad, den ich noch vor seinem ersten Aufenthalt in der Anstalt bei New York kennengelernt habe. Meetings bei den Sexaholics, einer Gruppe anonymer Sexabhängiger, Presbyterianer. Wir machen zusammen eine Reise mit Brads Buick Skylark von Provincetown über die Interstate Highways, streckenweise über die Route 66 nach Idaho. Im Schnitt mit fünfundfünfzig

Meilen; sechzig Meilen westlich von Grand Fork, North Dakota, bricht das Fahrzeug zusammen. Brad verführt mich in einem Motel. Von dort ruft er seine Frau in Palm Beach an und weint sich aus. Deutet Rückkehr an. Ich mache ihm Vorwürfe, bekomme selbst einen Schreikrampf, ziele mit einem Browning, schieße aber daneben, streife linken Arm, flüchte, versuche, Richtung Wüste zu entkommen. Brad ruft mir hinterher, ich solle zurückkommen: *Laß uns ein neues Leben beginnen!* Hält sich den Arm, bricht zusammen und wird kurz ohnmächtig. Ich kehre um, tupfe ihm den Schweiß von der Stirn, Brad erwacht, entschuldigt sich mit dem Zweiten Weltkrieg, von da ein Trauma. Ich solle ihm Zeit lassen. Ich beschließe, ihm zu verzeihen. Wir gehen essen, und anschließend fliege ich zu meiner Cousine Wendy nach Hawaii, die dort ein Catering-Unternehmen aufgebaut hat. Sie findet meine Geschichte furchtbar und bittet mich zu gehen. Das Geld wird knapp, ich muß zurück in die Staaten und arbeite nun als Hundeausführer im Central Park. Dort stoße ich wieder auf Brad, der mir sagt, er habe seine dritte Frau gerade wieder geheiratet. Das ist einen Tag vor seinem endgültigen Zusammenbruch. Brad deutet noch an, daß er mit mir zusammenziehen will und daß wir ein Kind adoptieren sollten. Er sagt, daß er immer an mich gedacht habe, spricht vom Heiraten. In der Nacht darauf bricht Brad, wie ich ein Jahr später erfahre, endgültig zusammen, kommt am besten nach St. Elizabeth, in eine Anstalt für kriminelle Geisteskranke. Aus Verzweiflung beschließe ich, meine Geschichte aufzuschreiben. Doch am Tag, bevor ich mich zum ersten Mal mit meinem Agenten treffe, erhalte ich die Mitteilung vom Gericht, daß Brad tot ist und ich der Alleinerbe einer Erdnußfarm in South Carolina etc. bin. Ich sage das Treffen mit dem Agenten ab.

Auf dem Klappentext der deutschen Ausgabe stünde

dann: Der Autor lebt in New York und auf Long Island. Er war dreimal verheiratet. Er hat für das vorliegende Buch den Pulitzer-Preis bekommen. Das Buch wurde in der *Book Review* der *New York Times* hymnisch besprochen: *Die größte Entdeckung seit dem frühen Hemingway* (Lucie S. Brown). Es ist seit neunundfünfzig Wochen auf Platz eins der Bestsellerliste. Diese Daten kommen außerdem in die FOCUS-Anzeige. Dachte ich.

Die Erzählung, nachdem sie entworfen war, stockte. Gut, eine Beziehung, die schiefläuft, das würde ich hinkriegen. Und auch einen Teil der Liebesgeschichte in der Fischerhütte in den Idorondacs. Und auch die Sätze, die ins Freie überleiteten, um anzudeuten, daß die Erfüllung in dem winzigen Raum nicht möglich war. Aber wie dann Henry und mich selbst nach Amerika verlegen?

Wie meine Geschichte über den Teich bringen?

Vor allem, eine unverfilmbare Angelegenheit. Wie dieses Sterben, diesen Tod, dieses mein Dahinvegetieren in ein Land der unbegrenzten Möglichkeiten verfrachten? Wie meine Atemnot?

Schließlich habe ich aufgegeben und alles beschrieben, wie es war, bis hin in die Psychiatrie nach Emmendingen im Breisgau und nach Tuttlingen an der Donau, ein anständiger Ort zum Sterben. »Schade, mit einer Sterbegeschichte kommst du hierzulande nicht in die Sellerlisten.« Wir waren nun schon per du.

Immer wieder habe ich mich hingesetzt und hinübergeträumt, habe versucht, meinen Helden ins Tiffany zu dirigieren oder in einen mit Marmor ausgelegten Fahrstuhl in einen hundertsiebenundzwanzigsten Stock – umsonst. Herausgekommen sind die Ausflüge über den Hotzenwald nach Waldshut und die Heiligen Abende im *Rößle*, Sterben und Tod in Tuttlingen. *Tod in Tuttlingen!* Nicht schlecht! Aber *Tod in Emmendingen* klingt besser. Zwischendurch rief ich in Hamburg an, berichtete von meinen Schwierigkeiten und daß ich das Buch am liebsten *Tod in Emmendingen* nennen würde. »Darüber müssen wir noch sprechen!« lautete die Antwort. Nach wie vor versuchte ich, mich in den Weekend-Angler hineinzuversetzen, zu denken, was so ein Mensch denken könnte, und zu schreiben, was so ein Leser lesen wollte. Ich ließ meine Figur in die Hütte zurückgehen, seine Geliebte anrufen, verdammt, keine Verbindung, die Liebesgeschichte glückte mir einfach nicht. Statt dessen landete ich in der *Rößle*-Dachkammer immer wieder bei Henry, wie er ins Bett scheißt. Wie erst die Liebe beschreiben? Und wie erst die erste Liebe? Und wie die Atemlosigkeit?

Es muß ein Liebhaber her! Ein richtiger Liebhaber, damit mir die Leser nicht davonlaufen. Ich kann ihn doch nicht Tee trinken lassen! Oder doch? Welches Auto fährt er? Kommt Whisky vor? Kommt Gott vor? Darf Gott vorkommen? »Gott lassen wir lieber draußen«, hieß es aus Hamburg. Darf gelacht werden? Wann gehen sie zum ersten Mal zusammen ins Bett? Vor oder nach dem Essen? Ist er behaart? Ist sie rasiert? Ist sie nun glücklich? Und was ist mit ihm? Wo lieben sie sich überhaupt? Darf es auf dem Küchentisch oder im Bad sein? Muß es immer das Bett sein? Missionarsstellung? Trinken sie nachher noch einen Sherry? Fährt er sie nach Hause? Küßt er sie? Bleibt sie? Überhaupt: wie ist es mit dem Rauchen? Raucht jemand? Trinkt jemand? Stirbt jemand? War es ein asthmatischer Anfall? War es Liebe? Das waren meine Fragen. Aber es kamen Bilder, die nicht dazupaßten, Henry, wie er mit der Golfmütze im Skylark sitzt, war noch das amerikanischste. Aber Henry, wie er in seinem Totenbett liegt, ob nun erlöst oder nicht?

Ich selbst hatte ein Stechen in der Herzgegend verspürt, während ich dies schrieb. Der Kardiologe hatte herausgefunden, daß ich, das Herz betreffend, vollkommen gesund sei. Ich hatte geglaubt, krank zu sein. Dies alles müßte sich auf mein Herz schlagen, glaubte ich. Ich ließ mich – in Waldshut – untersuchen und hatte Angst, mein Werk nicht abschließen zu können. Der Kardiologe hielt mir den EKG-Bogen hin, ließ sich zur Aussage hinreißen, daß mein Herz nicht nur gesund, sondern geradezu ideal sei. *Ein Vorzeige-Herz haben Sie!* Er werde meinen EKG-Bogen als Beispiel für ein richtig arbeitendes Herz in den besten Jahren seinen Patienten zeigen, und dazu die Röntgenaufnahme: mein Parade-Herz.

Das ist gar nicht lange her. Asma hat mir übrigens abgesagt. Ich habe das Buch dann doch so geschrieben, wie es war, getreu nach dem Leben. Die letzte Version liegt nun bei RESIDENZ. Sie paßt ins Programm. Doch es sind nun auch schon zwei Monate, daß ich auf ein Zeichen aus Salzburg warte.

Wenn sie nicht wollen, werde ich mich auch nicht umbringen.

Apologia pro vita sua

Anstelle von mir ein Buch, ein Versuch, noch etwas zu bleiben. Anstelle meines Lebens eine Geschichte. *Onkel und ich. Der Tod und ich. Wir zwei.* Als Buch. Es hätte *Atmen* heißen müssen. Oder *Ein Freund fürs Leben?* Aber jetzt will ich mich mit ihm versöhnen und ihn ruhen lassen. Ich schließe mit einem Gebet: Herr, gib ihm die Ewige Ruhe! Herr laß ihn ruhen in Frieden, und das Ewige Licht leuchte ihm! Amen.

Jetzt zu mir. Ich rauche. Ich sitze in meinem Dachzimmer mit dem Blick zum Rhein hin. Alles verschwimmt. Musik. Konradin Kreutzer. Ein Lied von ihm wird immer noch gesungen.

Ich ging mein Jahr, mein Leben durch, indem ich meine Kontoauszüge studierte. Ich, mein eigener Buchhalter, rekonstruierte anhand dieses roten Fadens, was gewesen war. Viel war es nicht. Und doch: *ein Erschrecken wie beim Anblick der eigenen Fußspuren,* als ob ich von einem Strandspaziergang zurückkehrte. Ich beruhigte mich nicht, als ich schließlich sah, daß es niemand war als ich, daß es nur ich war, nur ich.

Ich würde nun gerne eine Stiftung errichten, aber es fehlt das Kapital. Oder am liebsten alles Mutter Teresa vermachen. Doch ich habe gelebt bisher, bisher, ohne etwas zu erwirtschaften. Ich habe niemand begeistern können. Ich habe niemand überzeugen können.

Vielleicht werde ich zu meinem hundertsten Todestag wiederentdeckt, zunächst im Hotzenwald, dann im ganzen Schwarzwald. Von einem Heimatforscher. Er würde schreiben, daß ich *heutzutage als Zwerg gälte.* Ich habe die längste Zeit meines Lebens in Freiburg verbracht, wo genau, lasse sich nicht mehr herausfinden. Daß ich wohl eher einsam gelebt habe. Daß ich im *Rößle* geboren sei, wo noch bis zum Dritten Weltkrieg auf einer Tafel gestanden habe: *Geburtshaus des Heimatdichters Engelbert Hotz,* die aber verloren sei. Und daß vor dreißig Jahren mein Großneffe das *Rößle,* das sehr heruntergekommen gewesen sei, habe verkaufen müssen, ein Trinker, der letzte der Familie, dessen Spur sich in der Heil- und Pflegeanstalt Rottenmünster verliere, ich weiß.

Das *Rößle* sei zuletzt als Nacht-Bar geführt worden, frequentiert von der angrenzenden Schweiz. Vor zwanzig Jahren abgerissen, stehe an seiner Stelle nun das Hotzenwald-Center und eine Moschee.

Herz, Arsch und Seele! Ist das ernüchternd? Es ist mir ein kleiner Trost, daß abends ganze Kontinente meines beleuchteten Globus hinter dem Rotweinglas verschwinden. Aber dazu die Vorstellung, daß andere in meinem Alter gerade für den *Pour le mérite* berufen worden sind oder wenigstens schon auf einem Lehrstuhl herumsitzen oder gerade ihren ersten Nobelpreis bekommen haben. Das einzige, was ich vorzuweisen habe, ist der *Kavalier der Straße.*

»Muß es denn immer der Arsch sein!« höre ich noch die Frau im Pornofilm sagen, den ich an einem verregneten Maitag in der Habsburgerstraße sah. Ich nehme an, er war verregnet. Ich wußte wohl nicht, was ich tun sollte, muß aber geil gewesen sein. Und dann schon wieder der erste Schnee. Und die Weizsäckers, denen alles glückte. Ja die Weizsäckers! Ein Sohn wurde Generalsekretär der NATO, der andere wurde Regierungssprecher, der dritte wird noch Papst werden. Jeder kann Papst werden, vorausgesetzt männlich und katholisch. Was war ich für ein Dilettant im Leben dagegen! Und katholisch. Ich habe viel geträumt, auch, daß Gero von

Boehm mich in seine Sendung ZEUGEN DES JAHRHUNDERTS einladen würde. Er als Traumpartner mit den richtigen Fragen.

Ich träumte auch davon, mein Leben zu verfilmen. Lachen Sie nicht, wer wird mir schon das Träumen verbieten! Es hätte etwas ganz Frommes sein müssen – oder ein Pornofilm. Arbeitstitel: *Ich bin eine Sau aus dem Schwarzwald.* Ich hätte die verschiedenen Rollen selbst verkörpern müssen: einen katholischen Hund, ein getauftes Ferkel, einen Arsch mit Seele. Ich hätte meinen Vorzeigepimmel vorweisen können, mein Kastratenherz. Meine Bertullischuhe. Einmal auf der Welt, und dann so!

Zum Beispiel meinen Pornofilm in einem Zoo drehen: vor dem Tigerkäfig, meinetwegen hinter... Oder, vom *Rößle* an, in einem Stall? Mein Leben in einem Stall verfilmen, wie ich im Stallgang auf und ab renne, an Kuhärschen vorbei, wie ich schreie, abwechselnd *ja* und *nein!*, und niemand ist da, der mich hört, außer den Kühen. Und dann wäre einer hinter dem Futtertrog hervorgekommen mit einer Heugabel und einem Riemen, und ich hätte *Hilfe!* geschrien, und niemand hätte es gehört, außer dem Kerl und den Kühen. Und ich wäre auf meinen Bertullis auf der Kuhscheiße ausgerutscht. Oder es hätte ein Stummfilm sein müssen wie mein Leben. Aber es wäre doch nur ein Film gewesen.

Also lieber ein Bild von mir, das alles zeigte? Auf einem Bänkchen beim Sonnenuntergang? Mit Menschen, die mich im Vorbeigehen beschimpfen, daß ich das Bänkchen besetzt halte? Mit Menschen, die in den Sonnenuntergang hineinreden und mir den Sonnenuntergang verderben: Hatte ich nicht ein Recht auf den Sonnenuntergang und dieses Bänkchen? Warum hat sich niemand dazugesetzt? Aber ich habe alle, die sich zu mir setzen wollten, vertrieben, wie weiß ich nicht, alle, die mich vielleicht nur trösten wollten, jene, die meinen Schmerz hatten erraten können, solche, die mich vielleicht in ein Gespräch über meinen Schmerz verwickeln wollten oder auch nur über Gott und das Wetter. Ich: er, der das Bänkchen nicht freigegeben hat. Dieses Bild als Gesamtaufnahme, auf dem Bänkchen meines Lebens sitzend, in die Sonne blinzelnd, so wie ich es auch bei den Damen auf Pellworm gesehen habe, die Augen geschlossen, den Kopf in den Wind gehalten, nach oben hin, lächelnd und streng, schmachtend und erlöst, gierig und enttäuscht, wissend und unwissend, dumm und gescheit, alles in allem so, daß ich einverstanden bin, auch wenn ich es niemals verstanden habe. Im Kopf dazu vielleicht ein Rilkegedicht, eine absonderliche Danksagung für alles.

Aber dann: *Wie würden Sie einem Blinden Ihre Erscheinung beschreiben?*

Und dann: Mitten im Hochsommer sagte ich mir eines schönen Sonntagnachmittags: *So nicht!* und legte mich in die Badewanne. Ich hatte ein kleines, aber scharfes Küchenmesser bei mir. Ich dachte, unter Wasser wäre es einfacher. Denn zu allem, was ich selbst erlebt hatte, kam die ganze Ungerechtigkeit dieser Welt, das Elend der alten Menschen, das ich gesehen hatte und dem ich vielleicht auch nur entgegenlebte. Zu allem anderen kam die Enttäuschung, daß der Sommer nichts als heiß war und voller Moskitos. Ich wollte nicht mehr. Doch das Blut wollte auch nicht. Und dann stand ich einfach auf, duschte mich, trocknete mich ab, zog mich an und nahm erneut am Leben teil, indem ich mein Souterrain verließ, die Treppen putzte, und zwar von unten nach oben: so putzte ich mich hinauf. Ich hatte nämlich Kehrwoche. Das hatte ich ganz vergessen. Und doch: Immer wieder neigte ich zum Verschwinden.

Die alte Einsamkeit

Immer nur am Schreibtisch sitzen und auf den Rhein hinunterschauen? Und – mit der Dichterin – *allein, nichts Liebes denken und nichts Liebes tun?* An einem der letzten Wochenenden, vor vier oder fünf Wochen, fuhr ich dann doch wieder einmal nach Freiburg hinunter, Freitag abend im Strandcafé. – Mittlerweile war Einsamkeit ein Talkshowthema, trotzdem, ich gebe es zu: es fehlte mir etwas. Aber dann stand ich wieder unter Menschen, die auf mich herabschauten – trotz allem, trotz meines zukünftigen Ruhms, in den ich mich hineingeträumt hatte, dessen notwendigerweise dazugehörende Vorgeschichte ich aushalten mußte, die alte Einsamkeit. Hochmütige kleine Flittchen, die auf mich herabschauten und nicht wußten, wer ich war beziehungsweise sein würde. Einige Gesichter über mir kannte ich noch von der Nicaragua-WG-Zeit her. Und obwohl ich zu ihnen hingedrängt hatte, ihre Nähe suchte, stand ich wieder einmal ganz allein auf der Welt, und meine Bertullischuhe dazwischen; vom ersten Augenblick an, vom Durchtrennen der Nabelschnur, vom Öffnen der Tür an allein, Einsamkeit des ersten Augenblicks, die alte Einsamkeit, die meinen zukünftigen Ruhm beflügelte... Ich wartete auf eine Antwort aus Salzburg.

Ich stellte mich in eine der Ecken und wartete, als ob ich nicht wartete, aber niemand hatte bisher richtig angebissen. Ohne Abstand zu mir selbst, konnte und kann ich nicht sagen, was mir fehlte, und was den anderen fehlte an mir. Ich tröstete mich damit, daß jemand gesagt hatte, daß meine Hände aber schön wären. Ich öffnete die Augen, weit, denn irgend jemand hatte mir einmal gesagt, daß es aber schöne Augen seien. Das STRANDCAFÉ war voll von Menschen, schwarzen und blonden Monstern, die mehr Leben hatten als ich, die dieses Leben nicht absitzen mußten, sondern weitergaben, auch augenblicksweise. Vielleicht waren welche darunter, die im Wald aufgewachsen waren und mit bloßen Zähnen die Halsschlagader von so einem wie mir durchbeißen konnten. Aber vielleicht war ich nun doch im falschen Wald. Die Hubertusjagd war nichts gegen das hier. Damals gehörte ich noch zu den Treibern... Ich bot mich als Beute an, aber niemand, der über mich hergefallen wäre. Ich werde es euch schon noch zeigen! Ihr werdet alle in meinem Buch landen! Es ging einiges durch meinen Kopf, auch das Bier, doch am Ende blieb mir nichts anderes übrig, als mich zurückzuziehen, so wie das in Anstandszeiten die älteste Dame machte, damals allerdings wohlbemerkt. Bevor sie nicht den Saal verlassen hatte, konnte keiner gehen. So war es in alten Zeiten, das wußte ich von Henry.

Im Lauf des Abends konnte ich dies alles wieder einmal immer weniger verstehen. Mit Hilfe eines Wandspiegels und des Biers war immer deutlicher geworden, daß ich zu den Schönsten gehörte. Wenn ich genau hinschaute, gehörte ich zu den ersten zehn! Doch diese Weiber standen alle um Adrian herum, und zu allem lächelte er auch noch die ganze Zeit. *Sie behalten die Oberhand, wenn Sie auf Lächeln einstellen!* hatte ich in einem psychologischen Ratgeber gelesen. Nun sah ich, daß es stimmte. Wie man sich erfolgreich durchs Leben schlägt, kann man lernen. Dafür gibt es Workshops. Die Leiterin des Workshops hätte gesagt: *Nur nicht so wie Sie!* Ich hätte mir selbst als Gegenbeispiel dienen können. Sie hätte auf Adrian gezeigt und gesagt: *So wie er!* Er! Mit einer Änderung des Namens sollte ich beginnen, so wie Adrian, der auch nur Karl-Rudolf hieß. Schade drum! Hier mein Nacht-Gebet: *Ich ungleich ich, ich weniger ich, ich dreimal ich, ich tausendmal ich, ich! und noch mal ich! Amen.* Am nächsten Tag war Sonntag. Ich hörte WIENER BONBONS, meinen Lieblingswalzer von Strauß Sohn in der Harnoncourt-Unverzagt-Aufnahme von 1986. Was für eine Musik!

Ein Rückzug auf Bertullischuhen. Ich ging an den Rausschmeißern wie an meinen Parzen vorbei, die am Eingang des Lebens standen.

Die Heimwehmuschel

Den Wilhelmine-Lübke-Preis kriegst du für dieses Buch nie! Und außerdem: Für keine Blutwurst der Welt möchte ich noch einmal hierher zurückkommen. Aber dennoch: Ich möchte noch wissen, wie es mit *Moby Dick* ausgeht. Ich liege auf dem Bett, Seite zweihundertvierunddreißig, während Ahab, der Kapitän, den ganzen Tag auf dem Schiff herumgehumpelt und auf dem Meer herumgefahren ist, auf der Suche nach dem Bein, das ihm Moby Dick abgebissen hat. Angerufen hat niemand. Salzburg hat noch nicht geantwortet. Ich war nur einmal kurz oben, zum Luftschnappen und Futterholen für mich. Wie andere nebenher das Bier aus der Flasche trinken, so habe ich beim Lesen die große Muschel ans Ohr genommen, um das Meer und Ahab und meine Kindheit rauschen zu hören, denn ich habe diese Muschel von Frau Madefsky geschenkt bekommen, die von der Kurischen Nehrung ins *Rößle* vertrieben wurde und mir gesagt hat, das sei das Meer. Tot ist sie. Ihr Heimweh und dies alles ist nun den Fluß hinunter, den Rhein, der hinter dem *Rößle* zum Meer hin vorbeifließt, und es war immer der Tod, der mich in diesem Fluß und diesem Rauschen faszinierte, die Möglichkeit, zu ertrinken und darin umzukommen, und schließlich auf ihm hinabzutreiben und nicht mehr hier zu sein.

Wie aber nun weiteratmen?

»Soviel Luft ist auf der Welt«, sagte mein lungenkranker Großvater, kurz vor seinem Tod: »Soviel Luft zum Atmen, nur nicht für mich!«

FINIS

POST SCRIPTUM: WIR ZWEI SCHIESSBUDENFIGUREN

Bleibt nur noch nachzutragen, wie genau ich mit ihm verwandt war.

Damals, als ich, eigentlich noch am Anfang, schon nicht mehr wußte, wie es weitergehen sollte, habe ich eine Anzeige in den ST.-PAULI-NACHRICHTEN aufgegeben, die ich so formuliert habe:

STRENGE SCHÖNHEIT, schüchtern, aber
stattlich, sucht solvente Erscheinung,
ALTER UND AUSSEHEN EGAL!

Ich weiß nicht mehr, ob ich auch noch das Wort *vorzeigbar* eingeflochten hatte. Das *stattlich* war wieder einmal glatt gelogen – ich mußte mich eben durchmogeln. Man glaubt nicht, wie viele Menschen, gerade auch Frauen, sich auf eine Anzeige, die im Bekenntnis ALTER UND AUSSEHEN EGAL! gipfelte, gemeldet haben! Aus ganz Deutschland reisten Menschen an, dazu aus den Nachbarländern, die mich alle kennenlernen wollten. Ich mußte erst einmal sortieren. An alle, die mir nicht geeignet schienen, ging ein Absagebrief mit einem für die Zukunft aufmunternden *sorry!* Mit der engeren Auswahl traf ich mich zunächst im Bahnhofsrestaurant zweiter Klasse. Aber es gab immer ein Erschrecken, wenn die Tür aufging. Es waren auch solche angereist, die vor mir zurückschreckten – doch meist war ich es, der zusammenfuhr. Also beschloß ich, einen sogenannten *neutralen Ort* vorzuschlagen. Der Einfachheit halber bot sich der Platz zwischen dem Toilettenhäuschen und dem Kiosk vor dem Bahnhof an. Dann konnte ich in Ruhe die mit einem roten Schal und einem SPIEGEL ausgestatteten Aspiranten mustern und eventuell einen Rückzieher machen. So kam auch Henry. Er trug eine Pudelmütze und wirkte auf den ersten Blick wie ein Vorzeige-Sittenstrolch. Das konnte doch nicht der *Herr aus bestem Haus von internationalem Anklang* sein, was er nach Selbstauskunft in seinem vorbereitenden Schreiben, dem – aus gutem Grund! – kein Foto beilag, war! Ich wollte schon gehen. Aber dann hat mich der Teufel geritten. Ich drehte mich um, ging geradewegs auf ihn zu und sagte ohne weiteres: *Professor von Nullmeyer?* Nun schlug ich vor, vielleicht zu meinem Amüsement, vielleicht, weil ich es nicht besser wußte, daß wir doch im Bahnhofslokal, wo wir dann schon den folgenden Heiligabend verbrachten, einen Kaffee trinken könnten. Möglicherweise, dachte ich mir, war ich auf einen Hochstapler oder einen Heiratsschwindler hereingefallen.

Als er aber dort, ebenfalls schwer atmend, fast schnaufend, kaum daß wir saßen, mir nicht nur Komplimente machte, sondern auch bald seine Fotos aus dem Herrentäschchen zog, auf denen ich ihn neben Maria Schell, Heinrich Lübke und Heidegger stehen sah, dachte ich: vielleicht ist er doch kein Hochstapler, sondern nur eine Schießbudenfigur wie ich. Das Heideggerfoto hat den Ausschlag gegeben, daß ich auf Henry hereingefallen bin.

Das Schönste aber wäre,
nie geboren zu sein

L. H. † 13. April 1996